千粒怪談 雑穢

神沼三平太

竹書房
怪談
文庫

まえがき

あなたを呪詛(じゅそ)にかけて、何処か遠いところにまで連れていこうと思う。

この本には、たった三行で書かれるごく短い怪異体験談を一千話収録している。体験談は大まかに分類し、九つの章で構成されている。収録された一話一話が、実際に怪異を体験した人々の記憶の断片だ。それを積み重ねて一冊にまとめた。

この本を読んでいるうちに、その断片群があなたの脳を、思考を、記憶を侵食する。

自分が体験したことか、それとも誰かに聞いた話か、又は何処かで読んだ話か、読み進めていくうちに、渾然一体となっていく。そして実話怪談というものには、類話がつきものだ。同じ経験が別の人、別の場所で繰り返し体験される。したがって、この書籍に収録された怪異体験を、他の誰かが体験していてもおかしくない。むしろ、体験していない方がおかしいのだ。その意味では、収録されている話は、忘却の彼方に追いやって、思い出せないままになっているあなた自身の体験談といえるだろう。

あなたは、この本を読み進めた結果、何処で体験したか、誰と体験したか、色々な要素が胡乱(うろん)

になってしまった怪異体験を、何処かで思い出す。

小学校に上がる前まで、家の周りは怖いものだらけだったはずだ。

暗がりの中から、何かが見つめてくるのに慄いたはずだ。

街中で見かけたあれは一体なんだったのだろう。

ここに書かれていることは、もしかしたら、自分の体験に似ているのではないか。

冒頭の宣言における、何処か遠いところに連れていくとは、蓋をしていた記憶を開くということだ。あなたには、百物語十回分の呪詛を掛ける。読んでいるうちに、閉ざされている記憶の蓋が開く。記憶の闇の中から、忘れていたはずの奇妙な体験が浮かび上がってくる——そう祈念して止まない。

そして思い出した「あなたの雑穢」は、どうか一〇〇一話目として記録し、残してほしい。具体的にはツイッターに、#雑穢 というタグを付けて呟くことで、思い出した怪異体験の記憶を伝えてもらいたい。今度はあなたの怪異体験の記憶が、別の人の記憶の扉を開くのだ。

なお、本書の内容は、出典を明記することを条件に、収録作を脚色してのリライトは、自由に行っても構わないものとする。

令和四年四月四日　　神沼三平太

二次利用と使用報告に関するお願い

神沼三平太『千粒怪談 雑穢』では、作品出典を明記すること及び、使用報告を条件として、個人が収録作を脚色してのリライト、朗読、小説化、コミカライズ、その他の二次利用を行うことを許諾しています。

収録作品の利用に当たっては以下の報告フォームから、使用報告をお願いします。これは不正利用の嫌疑から利用者を守るための手続きであり、報告された内容がそれ以外の目的で使用されることはありません。

また、フォームから登録したことで、以下の使用条件に合意したものとします。

- 収録作品をリライトなどの加工を行わずにそのまま転載することはできません。
- 収録作品を出典の明記なしに使用することはできません。
- 収録作品の著作権は神沼三平太に帰属します。
- 収録作品を元に制作された各作品の著作権は、それぞれの制作者に帰属します。

https://forms.gle/91o8z1GB5RkJB7Bd6

第一章

001 - 100

子供の頃の話と親族に関する話

記憶とはあやふやなものだ。

あなたが体験したことも、無意識に忘却の彼方に流れ去ってしまう。だから、子供の頃の記憶は思い出せなくても仕方がない。

だが、ふとしたきっかけで思い出すこともある。

この章を読んで、あなたの子供時代に体験した怪異を、どうか思い出してほしい。

1

知人の祖母の話。旦那さんが亡くなり、四十九日までは、毎晩「なあ、もう寝ちゃったか」と旦那さんが訪れた。その度に枕元の旦那さんに「もう休んでいいんですよ」と手を合わせた。四十九日の夜に「んじゃ待っとるから」と残して消えたきり、夢にも出てこない。

2

小学生の頃に、近所の小さな公園に毎日のように通っていた。ある夜、呼ばれたように家を抜け出し、その公園に行った。すると、何人もの白い光に包まれた人達がこちらに気付いて近づいてきた。驚いたのと怖いのとで泣きながら逃げ帰り、それ以来その公園には入れなくなった。

3

子供の頃、用水路でザリガニ釣りをしていると、対岸から「こっちに来られる？」と、見たことのない少年に声を掛けられた。「ねえ、こっちに飛び越えてきなよ」少年は言うと、にぃっと歯を剥き出して笑った。その歯がギザギザに尖っていたので、驚いて逃げ出した記憶がある。

4

小学校の頃、近所の子供達と「だるまさんがころんだ」で遊んでいたときの話。鬼役で木の方を向いて数えていると、誰も近くにいないはずなのに、背中や肩を何度も強く叩かれた。後で一緒に遊んでいる友達に「さっき誰か悪戯したか？」と訊いたが、皆知らないと答えた。

5

子供の頃に住んでいた家で度々見たもの。当時、テレビを観るために朝五時頃に起きていた。家族の寝ている中、真っ暗な居間に移動すると、大型犬を連れた女の人が立っていた。服はいつも大きく艶やかな花柄だ。ただ犬も女の人も動かないので、気にせず番組に没頭していた。

6

子供の頃に、どうしても一番風呂に入りたくて銭湯の前に立って待ったことがある。だが風呂には、湯船に真っ赤な顔をした男が入っていた。汗だくで、既に長い間浸かっている様子だった。不思議に思って、風呂を出るときに番台に訊いたが、そんな男は見ていないと返された。

7

大学時代に夕飯として牛丼二杯を平らげ、牛乳一パックを飲み干し、さぁ、デザートに甘いものでもと、プリンの蓋を開けた。そのとき、天井から「あんたよく食うね」と呆れた声が響いた。二年前に嫁に行った姉の声だった。すぐさま姉に電話で報告して、大いに笑われた。

8

小学校時代の話。二段ベッドの下の段で寝ていると、何の前触れもなく、無数の腕がベッドの上段から、のしかかるように降ってきた。腕は半透明で、身体に触れるギリギリの距離で消えていく。そしてそれ以来、〈視える人〉になってしまった。理由には一切心当たりはない。

9

帰宅すると、アパートの前に老人が立っていた。無視して部屋に入ると、部屋全体が燻されたように白く煙っている。火事かと思ったが臭いもなく、疲れていたのですぐに寝た。深夜、祖父が亡くなったという電話で起こされた。その直後に、あの立っていた老人は祖父だと直感した。

10

ある年、仕事が立て込んで、母親の命日をすっかり忘れていた。深夜帰宅して携帯を見ると、着信が一件残っている。誰からだろうと思って確認すると、とっくの昔に解約している母親の携帯番号からの着信だった。翌日出勤前に思い立ち、墓に手を合わせに向かった。

11

子供の頃の話。毎年節分の頃になると、深夜に祭り囃子が聞こえてきた。近所でお祭りの練習をしているのだろうと思っていたが、両親に、近所でお祭りがあるかと訊ねても、近所に神社もないし分からないとの答えだった。クラスで話題にも出ず、子供心に大変不思議に思っていた。

12

家族で寝ている寝室の隅に、着物姿の女性が立った。その直後に金縛りに遭ったが、女性が滑るように近づいてきたので叫び声を上げると金縛りは解けた。続いて隣で寝ている母親が魘されだした。母親の話では、寝ていると突風が吹いて、その直後から身体が動かなくなったという。

13

祖父はある夏の朝、家の前に弔旗を掲げた。巡査が走ってきて不敬であると問答になった。祖父は「既に主上は御崩御なさっておる」と言い張った。根拠は自身の占いであった。「間違いなら腹を切るから署長に確認しろ」と一喝した。事実その時刻に明治天皇は崩御されていた。

14

「うちには座敷童がいるそうです」と先輩は言うと、「下の娘にしか見えませんが」と付け加えた。何でも言葉を喋る前からの友達で、彼女が一人きりのときに一緒に遊ぶのだという。彼は「信じていれば、私でも会えるそうなので楽しみです」と笑顔を見せた。だが、それ以来続報がない。

15

子供の頃、町に買い物に行く度に通る橋の欄干には、いつも白い人がずらりと並んでいた。彼らは何をするでもなく、通り過ぎる人をただ目だけでじっと追っていた。中学生の頃、その話を不意に思い出して家族に言うと、親は取り合わなかったが、弟はうんうんと何度も頷いた。

16

年上の友人が通う鍼灸院（しんきゅういん）の先生の話。旦那さんが亡くなったときに、その胸から光る珠（たま）がふわりと天井に昇っていくのが見えた。そのとき急に、夫とは魂の行く場所が違うから同じ場所には行けない、もう二度と逢えないと感じた。彼女は今もそれを信じている。

17

夜、友達の父親が仕事帰りに道を歩いていると、上空から何かが落ちてきて、パシャアという音とともに飛散した。驚いて空を見上げると、真っ暗な空から、もう一つ降ってきて破裂したという。現場に向かうと、確かにその場所には熟したトマトの破裂した跡が幾つも残っていた。

18

小学生の頃に友人が体験した話。夕方に現れて、自分の噂を聞いた子供を追ってくる老婆がいる。老婆は盲目で、薄い生地の帷子(かたびら)を着て、杖をつきながらゆっくり歩いてくる。逃げても直接家に来る。家にまで上がりこみ、寝ている間に胸の上に座って笑う。大人には見えなかったという。

19

本家には立派な仏間が設(しつら)えてある。子供の頃、夜中になるとそこでよく蹲(うずくま)る人影を見た。頭頂部が禿げた男で、正座して土下座するように頭を地面に付けたまま微動だにしない。腕は頭に隠れて見えない。今から思うと、あれは切腹した男の姿なのかもしれないと考えている。

20

小学生の頃、近所の竹薮の中には綺麗な建物があり、同級生と秘密基地と呼んで遊び場にしていた。ある日、いつも通りにみんなで秘密基地に行くと、建物だけが消えていた。竹薮の中の小屋があった場所には、持ち込んだ玩具や雑誌がそっくりそのまま残っていた。

21

お寺の娘から聞いた話。子供の頃はよく墓地でおままごとをしたという。一つ一つのお墓を「家」に見立てて遊ぶのだ。当時いつもおままごとに付き合ってくれる相手がいたが、思い返すと、近所にはそんな年代の子供はおらず、親にもいつも一人で遊んでいたと言われている。

22

祖父の葬儀を終えた晩に祖父が現れた。「何も思い残すことはない。何も心配してない。ありがとう。じゃあな。おばあちゃんをよろしく」と頭を下げた。彼の後ろの壁には膝ほどの高さの柔らかい光を放つドアがあった。祖父は次第に小さくなっていき、ドアに吸い込まれて消えた。

23

小学校からの帰り道、雨上がりの水たまりが虹色に輝いていた。アスファルトの油膜だろうと傘を差し込んでみると、虹色は急に集まり、親指大の黒い小さな玉になった。玉は水たまりの上をすうと移動して、そのまま陸に上がり、道の上をコロコロと転がって何処かに去っていった。

24

母親の葬式での話。火葬場で遺体が焼かれた後、ステンレスの台車には焼かれた骨が散らばっている。その遺骨を親族が骨箸で箸渡ししている間じゅう、会場の隅で百合の花束を抱えた半透明の母親が、穏やかな顔でこちらに和やかな視線を送りながら立っていたのが見えていた。

25

先輩は早くに両親と死に別れた。ある夜、曽祖父に曽祖母、祖父と祖母、父母までがずらりと並び、おめでとうおめでとうと口々に祝ってくれた。感極まって涙を流しながら目が覚めた。横で奥さんが寝ていた。数週間後、奥さんから妊娠を知らされて得心がいったという。

26

四歳になる甥っ子は、よく部屋の隅を見ながら「白いおじさんがいる」と言っている。特徴を訊いていくと、日によって少し違うところもあるが、どれも「白いおじさん」には変わりない。その話を不思議だねと母親に伝えると、「あなたも小さい頃に見てたのよ」と告げられた。

27

友人が一人暮らしをしていた頃の話。部屋に帰ると冷蔵庫の中身がちゃぶ台の上に並んでいた。泥棒かと思ったが、盗られているものはない。並んでいるのは賞味期限切れのものばかりだった。「恥ずかしい話よね」と照れたように笑う彼女は、亡くなった母の仕業と信じている。

28

子供の頃、よく祖父の家に遊びに行った。だが、祖父の寝室が怖かった。見えない「お不動さん」がいるからだ。ある日祖父の寝室を覗くと、部屋の中央にお不動さんが座っていて、覗いた自分のことを、真っ赤な瞳でじっと睨みつけてきた。それ以来、三十路になってもまだ怖い。

29

ある女子大生の話。彼女が小さい頃、法事で親戚が集まってお菓子を食べていた。彼女はそれを何個か貰っては台所へ行き、誰もいない方へ向かって手を差し出して、「一緒に食べよう」と繰り返した。本人は覚えていないが、今年の法事の際に母親から聞かされた話だという。

30

彼女の母は、普段から〈視える〉。母の言うことには、スーパーマーケットには、見えない人が沢山いるので、足早に買い物を済ませるという。彼女は普段からペットボトルに口を付けない。母が「ペットボトルに溶けてることもある」と余計なことを口にしたからだという。

31

友人の女性はよく金縛りに遭う。その間に必ず出てくる女の子がいる。その子は毎度、「この家族は幸せ。見てるだけで私も幸せ。これからも見てるから。長女、しっかりするんだよ」と言い残して消える。この話を母親に打ち明けると、双子の姉が死産だったことを教えてくれた。

32

小学生の頃に友人宅へ行く途中での話。ビルの四階ぐらいの高さに、大人が腕を広げた程もある黒い球体が浮いていた。下には変な文字の書かれた半畳大のゴザが下がっている。アドバルーンかと思ったが、不意に巨大な眼が開いて追ってきたので、泣きながら逃げ帰ったという。

33

お盆の頃の話。居間でテレビを見ていると玄関に気配を感じた。そちらを覗くと着物を着た狐がいた。驚いて横にいた父に伝えて見返してみると、もう狐はいなかった。亡くなった祖母が狐に似ていて、よく着物を着ていたので、お盆に会いにきたのではないかと父は笑顔を見せた。

34

幼い頃から、約束を破ったり身体に異変があると、鳴るはずのない不思議な音がしたり、動かないように固定されている物が落下して、母親に告げ口をされる。自分だけではなく、三人兄弟の兄も妹も同様だ。生まれる前に亡くなった母方の祖父の仕業ということになっている。

35

妻の祖母は、所謂（いわゆる）〈視える〉人だった。ある日、坂を上っていると、幽霊が迷っていた。声を掛けると、道が分からずに困っているという。「ちょっとそこで待っていなさい」と告げると、知り合いの寺に足を運び、住職を連れて戻ってきた。幽霊は無事成仏できたという。

36

子供の頃には、横浜市の北の端の方に住んでいたが、そこを通る私鉄路線の駅のそばで道に迷うと、路地の向こうから二人連れの黒い人が近づいてくるのに何度も出くわした。その二人連れは、覗き込んでも顔が暗いままで表情が窺えない。随分長い間怖かったことを覚えている。

37

子供を保育園に迎えに行くと、付近の園児達が急に泣きだした。その場の大勢も泣き始め、保母さんがあやしても泣き止まない。そこに偶然園長が通りがかり、こちらを見て手招きした。「凄いのを連れてきたね」と言うと、住職を兼任する園長が、その場で何とかしてくれた。

38

幼稚園の頃、夏に兄と弟と仏間の隣の部屋で遊んでいた。仏間の襖が拳半分ほど開いていたが、そこから麻のズボンを穿いた下半身だけが走ってきた。子供だったためか怖いとも思わず、三人でそれを追いかけていった。その下半身は、昨年亡くなった曽祖父の部屋の前で消えた。

39

実家の居間は、上階に人がいると、天井からぎゅうと音が響く。ある日、居間で本を読んでいると、天井からぎゅうぎゅうと何度も音がした。誰か上の部屋にいるのかなと思ったが、思い返してみると一人で留守番中だった。念の為に上階を確認しに行ったが、やはり誰もいなかった。

40

仕事をしている最中に、背中が痒くなった。孫の手はないかと見回してみたが、どこを探しても見つからない。仕方がないので背中に手を伸ばして掻こうとすると、温かい手に触れた。驚いて振り返ったが、何もなかった。思い返すと、亡くなった母親の手の感触によく似ていた。

41

深夜、トイレの帰りに脱衣所の横を通ると、ひっくひっくとしゃくり上げながら泣いている声がした。ぞっとしたが、急いで寝室に戻った。すると急に長男が泣きだし、その泣き声で起きた長女が、「めっていってくるからね」と脱衣所に駆けていった。その直後、長男が泣き止んだ。

42

子供の頃、川の横の家に住んでいた。いつも夜になってカーテンの隙間から川の方を見ると、薄ぼんやりとした子供の影が、川面で踊ったり走ったりと、何やら遊んでいる様子が見えた。ある夜、その子供と遊びたくなり、川まで行こうとして、両親に酷く怒られたのを覚えている。

43

小学校の脇を通りがかると、何処からか「ふふふ」と女の子の笑い声がした。授業で何かやっているのかなと思い、気にも掛けず通り過ぎた。深夜、バイトの帰りにその道を通ったときに昼間のことを思い出すと、耳のすぐ近くでそのときと同じ笑い声がしたので走って逃げた。

44

子供の頃、よく近所の川で水切りをして遊んだ。上手に投げると石は小気味よく川面を跳ねていく。その日は川の真ん中に、木の枝か何か、掌のようなものが生えていた。水切りの的にして何度か石を投げた。命中しそうになると、その掌は跳んできた石を掴んで、投げ返してきた。

45

小学校のとき、通学路に高校生ぐらいのお兄さんが数人、自転車に跨がって話をしていた。そのとき一人が「おおっと」と奇声を上げた。自転車がウイリーして、お兄さんを振り落とした。彼は両手を離していたし、ペダルも踏んでいなかった。本人も納得のいかない顔をしていた。

46

子供の頃に見たもの。林の中で掘った穴に、男が真っ黒な何かを次々に投げ込んでいく。大きさは猫ほどで麻袋に一杯程もあった。その日は逃げ帰ったが、翌日友達とその場に行くと、穴がぽっかり空いて、底には僅かに黒いべっとりとした臭いものが溜まっているだけだった。

47

友人の娘さんが小学校の図書室で見たもの。本を読んでいると、机の端に男の子の顔が載っていた。不思議に思うと、上から同じ顔がストンストンと降って積み重なり、ついに天井まで届く顔の壁を作った。怖くてその場から涙目で走って逃げた。男の子の顔は覚えていないという。

48

祖父が亡くなって暫くして、家族で天井裏への上がり口を探すことになった。古い家で、祖父しかその位置を知らなかったからだ。探している途中、ある押し入れの横に立つと、祖父の声で「ここだ」と声がした。皆でその押し入れを探ると、一番奥に上がり口があったという。

49

小学生の頃、自宅のマンションの自転車置き場に行くと、何故か毎回、鼻の下に大きな黒子がある中年男が爆笑する顔が思い浮かんだ。男とは面識がないので、一人で自転車置き場に行くのがとても怖かった。中学生になってすぐに自転車を盗まれたが、その犯人が黒子の男だった。

50

友人の母親は陶芸が趣味で、茶碗や湯呑みは自分で作るという。ある日、食卓の母親の湯呑みが音を立てて弾けた。驚いていると、病院から電話があり、母親が買い物先で交通事故に遭ったと知らされた。幸い軽い怪我で済んだが、友人は陶器が母親の身代わりになったと信じている。

51

葛飾区水元公園には十番トイレという場所がある。地元では知名度のある怪異の現場だ。小学生の頃、その公園に行って、同級生達とゲーム機でそのトイレの写真を撮ることにした。撮ろうとトイレに入った直後、全員のゲーム機に異常が起き、カメラ機能が使用できなくなった。

52

小学生の頃の話。父親の運転する車が交差点で右折した。交差点の中心には三つ編みをした小学校低学年ほどの女の子が立っている。父親には見えていないようで、「危ない！」と声を上げたが、車はまっすぐその子に向かっていく。結局、車はその子をすり抜けて交差点を抜けた。

53

夜、書斎で仕事をしようとすると、部屋の中に蛾がびっしりと留まっていた。驚いて見返すと何もいない。それが何度も繰り返すので、〈視える人〉である奥さんに相談して確認してもらうと、「男の人がいるけど、暫く窓でも開けて放っておけば出ていくと思う」と投げやりな返答だった。

54

親戚の葬式に行ったときの話。夜、暗い廊下にゴロンと子供用の長靴が転がっていた。何でこんなところにと思ったが、通りがかった親戚のお婆さんが「これ、昔亡くなった長女が履いていた長靴よ」と言い出した。だが、五十年以上前の物が何故そこにあるか誰も知らなかった。

55

子供の頃、鍵の掛かるはずのない子供部屋のドアが、押しても引いても動かず、ドアを叩いても返事がなかった。躍起になってノブを回そうとしたが、びくともしないので、窓から入ってやれと外に出た。窓には鍵が掛かっていたが、部屋の中に、ドアの前でノブを握る自分が見えた。

56

深夜に母親が起きだし、「電話しなきゃ」と呟いて突然電話を掛け始めた。家族は夜中に何処に電話をしているのかと訝しんだが、暫く会話をしていた母親は肩を落として電話を切り、家族に向かって、「今、お祖母さんが亡くなりました」と言った。夢の知らせだったという。

57

あるバーの店員が子供の頃の話。布団に横になっていると、押し入れの襖が六十センチほど開いていた。中に黒いものが詰まっているような気がする。中を見ていると、黒い影が溢れてきた。朧げに人の形をしている。まだ見ているとそれらがこちらに手足をぐぅっと伸ばしてきた。

58

子供の頃は三階建ての家に住んでいた。三階は屋根裏で、玩具や不用品が置かれていた。ある日学校から帰ると、三階で玩具の電子音が響いている。音がするなら電源を切り忘れるはずがない。そう思って血の気が引いた。そのとき、無機質な声で「アソンデヨ」と声を掛けられた。

59

ある年の年初に初詣に行っておみくじを引いた。凶だった。縁起が悪いからと、もう一度引いたが、やはり凶が出た。神社をはしごして、何度もおみくじを引いたが、全て凶。ついに凶を七回立て続けに引いた。最後に吉が出たが、その年末に、連れ合いが他界したという。

60

子供の頃住んでいた家では、時折変なことが起きた。その中で一番記憶に残っているのは、夜、寝るときにカーテンが開いた窓ガラス全面に、巨大な女の顔が映っていたことだ。子供ながらに恐ろしくて泣き喚き、それから必ずカーテンを引いて寝るようになった。今でも怖いという。

61

年上の友人が子供の頃の話。公園で遊んでいると、知らない子が混じっていた。そういうことはよくあることだったので、誰かの弟だろうと思い、一緒になって遊んだ。夕方、影踏みをしていると、その子に影が二つあった。子供達は影が二つあると言いはしたが、普通に遊び続けた。

62

子供の頃の話。いつも行く空き地に一メートル程の金属パイプが落ちていた。片側から覗き込むと、あちら側が見える。だがすぐに暗くなった。何かおかしいと目を離すと一瞬の後に黒い虫のような影が大量に噴き出した。驚きの余り暫く動けなかった。

63

祖母が一人で家で片付けものをしていると、二階から誰かが自分を呼ぶ声がする。気のせいと思いながら二階に上がると、今度は天井裏から呼ぶ声が聞こえた。亡くなった夫の声に似ていた。話し終えると、「まだまだ呼ばれても行きませんよ」と笑った。彼女は今も達者である。

64

子供の頃の話。家の前の砂利道で一人で遊んでいると、急に周りが夜かと思えるほど暗くなった。怖くて家まで走って帰った。すると、人間大の火の点いた真っ赤な蝋燭(ろうそく)が、ずらりと列になって通り過ぎた。母を呼んでドアを叩いても玄関の扉が開かずに、泣き叫んだのを覚えている。

65

小学校の頃の話。市民プールで泳いでいると、大人用プールの底を何かが横切った。何だろうと、もう一度水の底を見ていると、周囲よりも暗い色をした塊が、ゆらゆらと回遊していた。好奇心でその暗い塊を追いかけて、潜って手を突っ込むと、指先が痺れる程に冷たかった。

66

子供の頃、河原で拾った石を、道端で子供数人で蹴って遊んでいた。すると急に石が光って真っ白な煙が吹き出した。周囲を白煙が包み、皆激しく咳き込んだ。煙が晴れると先ほどまでは固いただの石だったものが、ぐにゃぐにゃの黒いビニールのようなものに変わっていた。

67

ある年の節分、友人は仕事が忙しくて部屋に帰れなかった。翌朝戻ると、部屋に豆が転がっている。隣人にも「お母さん、節分張り切ってましたね」と言われた。彼の母親は数年前に他界している。「きっと母が厄除けのつもりでやってくれたんでしょうね」とは彼の言。

68

小学生のとき、学校行事で箱根の旅館に泊まった。クラスは二つの部屋に分かれたが、自分のグループが泊まった部屋は、最初から半数以上が気持ち悪がった。夜中は屋上で何人もの子供達が花一匁（もんめ）で遊ぶ声が続いた。朝、何人もの児童から、子供の声が怖かったという話が出た。

69

深夜、書斎で取材したばかりの怪談を書いていると、ふわりと蜘蛛の糸が顔に掛かる感触があった。首をすくめて振り払おうとしても蜘蛛の糸は取れない。そもそも糸自体存在していないようだ。その体験を〈視える〉叔母に語ると、「お化けが近くにいるから感じるのよ」と言われた。

70

佐渡出身の方から聞いた、彼女の母親の五十年ほど前の体験談。集落の女性達と収穫作業で畑の里芋を引き抜いていた。その途中で、一人が叫び声を上げた。見ると引き抜いた里芋の親芋の周りに育った子芋の全てに、男の顔が浮き出ていた。それが一斉に目を開けて睨んできた。

71

父親と電話している間、耳鳴りがしているのが気になって仕方がなかった。その音に奇妙な抑揚があるからだ。父親が人の名前を告げる度、そこだけ音が大きくなって名前が聞き取れない。余りに何度も訊き直すので、父親が呆れ、「また後で掛ける」と電話を切られてしまった。

72

二カ月だけ借りた家の話。そこは普段から手を叩く音が聞こえたり、人がいなくても襖や障子が倒れたりした。その日も障子が外れて倒れた上に、天井からぱたぱたと血のような赤い雫が降って、花が咲いたようになった。退去時に部屋はぼろぼろだったが、一切何も言われなかった。

73

子供が三歳のときに、「家にお化けがいる」というので「どんなのがいるの?」と聞いた。「白いの?」と訊くと頷く。「黒いの?」と訊いても頷く。「赤いの?」と訊いても頷く。笑い話にしていたら、先日小学生になった子供が「家に白と赤と黒の人がいた」と言い出した。

74

結婚式当日、その女性は足を骨折していた。これではウェディングドレスでバージンロードを歩くにも松葉杖が必要と思ったが、式当日の朝は何故か足が軽く、不思議と普通に歩くことができた。歩いていると、亡くなった祖母のイメージが浮かんだ。翌日には痛みは戻ってきた。

75

祖父の七回忌の法事で菩提寺に出かけた。親戚一同が揃う中で僧侶が読経を始めた。その最中に祖父の声ではっきりと名前を呼ばれた。不思議な体験をしたと思っていると、法要の後で皆で揃って食事をするために寄った料理店で、親戚全員が祖父に名前を呼ばれたと言っていた。

76

知り合いの娘さんが三歳ぐらいのときの話。いつも公園に散歩に行くと、娘さんは「あそこに黒い人がいるよ」と誰もいない空間を指差した。知り合いは不思議に思い、「その人、いつもいるの?」と訊ねた。娘さんは頷くと、「黒い人、おうちにもいるよ」と口にした。

77

小学校低学年のときに、いつも腰くらいまでの高さの花壇に上って、その縁を歩いていた。ある日、急に引っ張られて足を滑らせ頭蓋を打った。骨が見えるほどの怪我だった。それ以来〈視える〉ようになった。今もその花壇の下には、恨みがましそうな目をした女が蹲っている。

78

母親が亡くなる数日前の話。夜中にトイレに行こうとして息を呑んだ。廊下の先に天井まで届く背で、ぶよぶよした巨大な頭をした何かがいた。声も出せないまま見ていると、それはゆっくり歩いて母親の部屋の前で消えた。家にあんなものがいたら人も死ぬ。ずっとそう思っている。

79

幼稚園児の息子が空へと連れていかれそうになった。「連れていかないで！」と必死に手繰り、その身を腕に掻き抱いて宙を見据えると、そこに父の姿があった。そんな夢を見て、汗だくで目を覚ました。そのとき電話が鳴った。母からだった。父が脳梗塞で亡くなった知らせだった。

80

叔母の家には、全ての部屋の窓際に小皿に盛った塩が置かれている。そこの娘は昔から勘が強く、身体に幽霊が入ってしまうので、家の中に悪いものが入ってこないようにしているのだという。家族はいつも、出かけた後に家に戻るときには、手持ちの塩を振ってから玄関に入る。

81

年上の知人女性は、白髪の髪の毛の下に、子供の頃に母親からアイロンで殴られた痕が残っている。彼女は毎晩そこをゆっくり撫でながら寝る。撫でた後には、いつも枕元に泣き叫びながら謝罪を続ける母親が出てくると言って笑う。彼女はその習慣を五十年以上も続けている。

82

友人が子供の頃の話。留守番をしているときに、親の寝室を鍵穴から覗いたら、ドアの向こうに草原が広がっていた。家の中だぞと、もう一度見ても、やはり草原が広がっている。不思議に思って、親が帰ってきてからそのことを言うと、ドアを開けてくれた。草原はなかった。

83

小学校のときの話。近所に廃墟があったので、放課後に友人数人と探検に行った。崩れた軒下から中に入っていくと、意外と奥の方は荒らされていない。窓ガラスからの光が入って、部屋の中は明るいが、埃だらけだ。奥の襖を開けると、座敷に古びたお地蔵さんが何体も立っていた。

84

小学生の頃、林間学校で肝試しがあった。隠れている先生を見つけようとして、石の間にぼうっと光る人影を見つけた。先生がいる！　と、周囲の子供達に言っても、周りは取り合わない。すぐ側まで近づいても、人影は蹲ったままだった。今思い返すと先生ではなかった。

85

子供の頃、人形遊びで人形を座らせたりすると、いつもバランスを崩して後ろや横に倒れていた。何度も座り直させていると、「手伝ってあげる」と女の子の声がした。それ以来、人形は二本足で立ったり、勝手に歩いたり座ったりしていた。ただ人前でやろうとしてもできなかった。

86

幼い頃の話。家族全員揃って寝室で寝ていた。深夜、不意に目が覚めると、遠くから水の流れる音が響いてくる。洗面所の水が流れているようだ。誰かが出しっぱなしにして寝たのかと、水を止めに行こうとした。暗い中を近づいていくと、急に蛇口を絞る音がして、水音も止まった。

87

祖父の兄は戦地に赴いていた。祖父が夜中に目を覚ますと、玄関から軍服の擦れる音やゲートルを取る音が聞こえる。余りに音がはっきりと聞こえた上に悲しげなので、祖父は怖くなり、近くの壁を思い切り蹴飛ばした。すると音は止んだ。翌朝早くに、兄の戦死の知らせが来た。

88

親の経営する空き部屋の多いアパートが子供時代の遊び場の一つだった。あるとき、興味本位で二階の空き部屋のドアポストを覗いた。誰もいないし何もない。その後すぐインターホンを鳴らした。直後、ドアが勢いよく開いて、中から知らない女性が顔を出し、何か用かと訊かれた。

89

祖母の家に行ったときの話。夜、廊下で忙しく足音がする。誰かが走っているようだが、家族は皆寝ている。怖くて確認できない。誰もいないはずの廊下では、誰かが一晩中ずっと駆け足で端から端までを何度も往復していた。翌朝、姉から「あの足音何だったの?」と訊かれた。

90

知人は小学生の頃から不思議な声が聞こえていた。デパートで目的地を店員に訊くと、頭の中に「このおばちゃん嘘吐いてる」と、響く。えっと思って周囲を見回すが、誰もいない。そして実際、店員はデタラメなことを言っている。声は、高校卒業まで続いたという。

91

以前、高山出身の女性から聞いた話。親戚の家に泊まった夜、寝つけずにいると、常夜灯のみが点る部屋の中に気配を感じた。視線を巡らせると、天井から垂れた糸に、拳ほどの大きさのものが鈴なりになっていた。動くサルボボだった。ぞっとして気を失ったが、朝には消えていた。

92

戦前の話。知人は祈祷師をしていた祖母が、時折井戸端で石で何かを叩き潰しているのを見たという。何をしているのか訊くと、「疳の虫を退治している」と言われた。だが、子供が祖母の元に連れられてきたことはないし、そもそも「疳の虫」を見せてもらったこともなかった。

93

友人が子供の頃に墓場で遊んでいたときの体験談。遊んでいるうちに調子に乗り、落ちていた石を墓石に投げつけた。そのとき、男性の声で怒声を浴びせられた。余りの剣幕に、ごめんなさいと声を上げたが、周りには男性どころか、人っこ一人いなかった。

94

子供の頃の話。夜、自室に入ると、常夜灯の明かりの下をトンボが飛んでいた。不思議に思って畳を見ると、いるわいるわ。サソリに蜘蛛、毒を持っていそうな虫が部屋を埋め尽くしている。慌てて部屋を出て、大声で母親を呼んだ。だが母と二人でドアを開けると、何もいなかった。

95

仲間三人で夜の小学校のプールに飛び込んだ。時間が早かったので、すぐに教師が来て「水から上がれ！」と叱られた。その間、背後に誰かが立っている気配がした。訝しがっていると、叱っていた教師が解放してくれた途端に、背後からドポンドポンと飛び込む音が響いた。

96

近所の崩れかけた廃屋は子供なら忍び込むことができた。友人達は秘密基地にして遊びに通っていたが、何故みんなが怖くないのか疑問だった。最初に入ったときに、お札がびっしり貼られた扉の隙間から、いるはずもない老婆が覗いていた。彼女はずっと怒った顔をしていた。

97

七五三の頃、知人が神社の参道に屋台を出していた。夜、店を畳んでいると、朱色の振り袖を着た女の子が手招きする。ついていくと、彼女は用水路の側で消えた。夜、シャワーを浴びるときに、脱衣所で朱色のものが舞っていた。見るとピンクの花型ビーズが一葉落ちていた。

98

友人と遊んでいるときに、壁の向こう側にビニールボールを飛ばしてしまった。だが、すぐ返ってくる。何度ボールが入っても返してくれる。心配になって友人が遊んでいる間にお礼に行くと、壁の内側には石碑が一つあるだけだった。その横に友人の放ったボールがぽとんと落ちた。

99

ある夏のこと。風邪を引いて寝込んだ。家族は皆出払っていて、家には他に誰もいない。だが、誰かが自分の部屋に来て顔を覗き込まれたような感覚があった。最初は熱のせいと思っていたが、帰宅した母から、「おばあちゃんから、風邪大事にしなさいって電話あったよ」と言われた。

100

中学のときに祖父が亡くなった。火葬の前にベッドに横たわる祖父を家族で囲うように最期の写真を撮った。後日写真を確認すると、柱の所に笑っている祖父の顔がはっきりと写っていた。少し驚いたが、成仏する前に祖父はちゃんと近くで見守っていてくれたのだなと感慨深く思った。

第二章

101-157

学校・学生時代にまつわる話

人々が集うところに怪が起きる。そういう意味では、学校や駅などの多数の人間が集合する場所は、怪異と相性がいい。そして、運よくあなた自身が怪異を体験していないとしても、親しい友人知人はそれを体験しているかもしれない。

怪異と無縁という学校は、著者が知る限り一つもない。恐らくあなたは運が良かっただけなのだ。

101

ある大学での話。試験開始直後に叫び声がした。ざわめく学生。教員も声がした方に駆け寄る。だが席には試験の問題用紙と解答用紙は揃っているが、試験を受けているはずの学生がいない。周辺の学生に訊いても、普段見ない学生がいたというだけで要領を得なかった。

102

ある高校での話。学校に一人で夜遅くまで残って採点をしていた先生が、別棟の教室に電灯が点いているのに気付いた。「誰かが消し忘れたのだろう」と足を運んだ。教室の電灯を消し、本館に戻って何げなく先ほどの教室を眺めると、まだ煌々（こうこう）と電灯が光っていた。

103

高校生の頃、学校の中庭で、糸でぶら下がる毛虫にぶつかりそうになった。こんな所に毛虫がいると思って見上げると、視界の届く限りはるか天上から糸が伸びており、その端にぶら下がっている。不思議に思ったが、授業開始のチャイムが鳴ったので、そのまま放っておいた。

104

実験室のシールドルームに泊まり込んだ学生の話。寝ようとしていると、換気扇を逆走するように白いもやもやしたものが入り込んできた。目の錯覚かと電気を点けても、もやもやは消えない。校舎は他に人はいないので、怖いが我慢して大音量で音楽を流しながら徹夜で仕事を続けた。

中学生時代の教室に掃除用具の入ったロッカーがあった。それは授業中に度々開いて、中のモップや箒（ほうき）が倒れてきた。クラスに数人いた〈視える〉友人達はロッカーに近づかなかったが、あるとき揃って「出てきちゃった」と声を上げた。何が出てきたのかは教えてくれなかった。

知人の通っていた高校の体育館の掃除用具入れには、緑色の女が出る。たまに子供も一緒にいる。その子供は青やオレンジだという。ある日、彼女の友人が体育館を掃除中にその話をしていると、不気味な低い女の笑い声が聞こえてきた。姿を見てしまう前に逃げ出したという。

中学生の頃の話。部活のユニフォームに着替えていると、二の腕や背中に、牛乳瓶の口程の大きさで赤い輪を描く痣（あざ）が幾つも浮いていると、友達から指摘された。確認したが痛みもなかったので放っておいた。部活が終わった後、帰宅して風呂に入るときには、痣は全て消えていた。

バレーボールの練習中の体育館での話。ボールが壁に当たる直前に何かにぶつかって跳ね返る。透明なそれにボールを当てると、壁際を少しずつ移動していった。一際強く当てると、「痛ぇな！」と男の声で叫んだが、直後からバレー部員達がそれ目がけて激しくアタックを始めた。

109

知人が中学生の頃の話。冬の夜、小学生の妹と高校生の従姉妹と一緒に散歩に出かけた。通りがかった小学校の真っ暗な校庭で、男の子が一人、サッカーボールを蹴りつつ走り回っていた。変だなと思って話題に出すと、その姿は彼女と妹にだけ見えて、従姉妹には見えていなかった。

110

夜まで掛かったサークルの練習の後、腹痛で新築の校舎のトイレへと駆け込んだ。すると何故か、窓から黄色くなり始めた午後の陽光が射し込む旧いトイレだった。時間が止まったような景色に混乱して一度ドアを閉めて開け直すと、ＬＥＤの点灯するトイレだった。

111

中学一年のときに練習試合で他校の体育館に行った。レギュラーではなかったので、他校の練習の邪魔にならないようにボールを見張っていた。そのとき、耳元で若い女性の声に名前を呼ばれた。返事をして振り返ったが誰もいない。後にその体育館には女の幽霊が出ると聞かされた。

112

知り合いの先生は、長期休暇中で無人のＰＣ教室で採点をしていた。すると教室の後ろの方で誰かが挙手している。学生がいつの間に入り込んだのだろう。手を挙げているのだから質問だろうかと声を掛けてみたが返事がない。近づいていくと、姿が曖昧になって消えてしまった。

113

高校時代、友達と連れ立って肝試しに心霊スポットへ行ったが、期待に反して何も起きなかった。ただ帰りに、背中をトンと叩かれたような軽い衝撃があった。家に帰って着替えていると、友人達が騒然とした。背中にうっすらと、三十センチ四方もある巨大な手の跡が付いていた。

114

横浜の中学校での話。四階建て校舎の一番奥の教室で、少人数で授業をしているときに、急に一人の男子生徒が手を挙げた。「さっきから、後ろのドアのところで女の人がこっちを見てるんですけど」と不安げな顔を見せる。いくらそちらのほうを見ても、もうドア付近には誰もいなかった。

115

ある大学の先生の話。大学の教室備え付けのPCに、USBメモリを挿して一通り講義を終え、さて抜いて片付けようとして飛び退いた。USBメモリが爪を真っ赤に塗った女の指に変わっていた。その指は何度か関節を折り曲げると、元の姿に戻った。

116

必死になって卒論を書いているときの話。両手はキーボードに置いてキーを打ち続けているのに、カップに入ったコーヒーを飲み干していたことがあったという。見ていた周りも「え？」と思ったが、気のせいとしてスルーされていた。聞くと、三本目の手が伸びたようだった。

117

体育の授業の後に一番乗りで自分の教室に戻った。だが教室内には人影があり、ドアはロックされていて開かない。何故そんな悪戯をするのかと不思議に思っていると、学級委員長が鍵を持ってきた。鍵を開けて教室に入ると誰もいない。学級委員長も不思議そうな顔をしていた。

118

先輩が大学で修論を書いていたときに遭遇したこと。夜、徹夜で論文を書いていると腹が減るので、コンビニまでカップ麺を買いに行った。買った帰り道、遠くから口笛が聞こえてきた。何かと思っていると、次第に近づいてくる。これは変だと逃げたが、研究棟まで追いかけてきた。

119

体育の時間に、急に身体が浮いて転倒し、腕を骨折した。救急車が来るまで保健委員として付き添ってくれた親友が、青い顔をして目を合わせようとしない。病院で処置してもらい、一度学校に戻ると、親友が待っていて、「まだ黒い女が憑いてるから気を付けて」と震える声で言った。

120

友人の耳にはピアスの穴のような傷痕がある。中学時代、クラブ合宿の最後の夜に、学年ごとのチームで肝試しをした。ひとしきり怖がって民宿に帰ると、彼を見た先輩から悲鳴が上がった。耳から血が流れ、Tシャツの肩が真っ赤になっていた。だが痛みは全くなかったという。

121

町田市での話。中学生のときに、部活の後で校庭の片付けをしていると、こんなにも絵に描いたようなＵＦＯがあるのかと思わせるものが空に浮いているのを見たという。所謂アダムスキー型で、友達と二人で目撃した。見たのは体感的には二、三秒で、急に消えたのを覚えている。

122

学校で授業中にトイレに行くと、毎回ドアを叩かれる。返事はするなという先輩の忠告を忘れ、「入ってます」と返事をした。途端にドアの上から長いクシャクシャの髪の束が降りてきた。用を終えて鍵を開け、全力でドアを蹴り開いた。だが誰もおらず、髪の束も消えてしまった。

123

大学の研究室に泊まってデータ分析をしていたとき、ドアを軽くノックする音がした。同じように大学に泊まっている奴が来たのかとドアを開けるが、真っ暗な廊下だ。頭を捻って席に戻り、作業を続ける。そんなことが夜に何度もあった。先輩に言わせると、よくあることらしい。

124

北関東の高校出身の学生の話。その高校の教室の床から天井にかけて、線状に煤（すす）が付いている。ある日の夕方、部活動の後で数人で駄弁（だべ）っていると、酷い耳鳴りがした。直後、教室の天井の中程から壁まで火が走り、壁を伝わって床まで煤を残して消えた。一瞬のことだった。

125

短大の演劇部で練習中、舞台監督が叫び声を上げてしゃがみ込んだ。一人の先輩が「お化けが来てる」という。折り畳み椅子を取り出し、監督に「ここに座っててください」と伝えた。暫くすると監督も落ち着き、無事稽古を終えた。先輩によるとお化けは若い男だったという。

126

学校のゴミ捨て場に、肘から先が転がっていた。心臓を掴まれたような息苦しさと共に近づくと、この世のものではなかった。鮮明だが、触ることができないのだ。最近捨てられたのか、新鮮そうに見え、傷口からは血が滲んでいる。なぜそこにあるのかは考えないようにしている。

127

ある大学の夏休みに、教室の整備で配電盤の小部屋のドアを開けた。すると中から灰色の人影が、覆いかぶさるように出てきた。驚いて横に飛び退くと人影は消えた。配電盤の入っている小部屋の床が水浸しだったので調査を依頼したが、水が何故溜まっていたかは不明だった。

128

大学新入生のとき、大学の入り口で老婆に「孫はどちらにいますか」と話かけられた。「新入生なので、よく分かりません」と答えたが、暫く食い下がられた。サークルでその話をすると、先輩が「それ、この学校じゃ有名な幽霊だよ」と言った。その季節だけ出るという。

129

塾講師の知人から聞いた話。授業が終わると、いつも質問に来る生徒がいたが、微妙に存在感が希薄だった。あるとき、その生徒の後ろが透けて見えた。唖然としていると、それ以来塾に来なくなった。他の生徒の噂によると、学校も辞めて転地療法で引っ越したのだという。

130

大学に忘れ物をしたことに気がついた。夜に取りに戻ったが、建物は施錠されていた。守衛室で事情を話して鍵を借り、暗い中を歩いていくと、廊下に懐中電灯を持った人がいた。見回りかと思い、忘れ物を取った後で守衛室でその話をしたら、誰も見回りに出ていないと言われた。

131

卒論で学校に泊まり込みの数人から聞いた話。夜はトイレに行くのが怖いので、二人以上で連れ立っていくという。以前一人で行った学生がトイレから戻るときに、トイレットペーパーが廊下に点々と並べてあった。戻って「誰か悪戯した？」と訊いたが、誰も知らなかった。

132

友人が驚いたような顔で校舎の最上階を指差した。教室には鍵が掛かっているはずだが、窓に両腕を上げた黒いシルエットが張り付いている。次の瞬間、全く同じ黒いシルエットが隣の窓に張り付いた。更に一人が窓に張り付いた。その直後、二人で逃げるようにその場を後にした。

133

ある先生の話。授業中、開け放たれた教室の後ろのドアから、白い布を頭から被った集団が入ってきた。何事かと思いながら授業を続けていると、教室の後ろと横にずらりと列を作った。別段邪魔はしてこないので、無視して授業を続けた。彼らは授業が終わる直前に煙のように消えた。

134

地元の進学校で、いじめを苦にした女生徒がトイレの個室で首を吊った。それ以来その個室の鍵が勝手に閉まる。噂を気にした学校側も、念の為にと業者を呼んで見てもらったが、特に問題はなかったらしい。だが、それ以降もしばしば鍵が閉まる。理由は不明のままだ。

135

夜、大学のトイレの個室に入っていると、急に真っ暗になった。誰かが電気を消したのかと思っていると、いきなりドアが激しくノックされた。守衛さんかと思って、ノックを返すと音は収まった。また暫くするとノックされたので、用を済まして出たが、周囲には誰もいなかった。

136

知人の卒業した高校の話。夜、学校に忍び込んで中庭で友人と話をしていると、目の前の校舎の側面に、女の影が張り付いた。暫くするとその影は長く伸びながら、するすると校舎の壁を移動して背後に回った。そのとき、友人が大声を上げた。その声に我に返って逃げたという。

137

学生の頃の話。アパートで一人夕方から寝てしまい、起きたら外が真っ赤だった。火事かと思って窓を開けると、やはり夕焼けのように赤い。時計を見ると、夜十時を過ぎていた。その赤い空の下、牛丼屋に行って夕飯を食い、食い終わって外に出るともう普通に黒い空だった。

138

大学の情報教室のプリンタから、書き終わったレポートを出力した。結果を取りにプリンタの前に移動すると、プリンタから、真っ黒な毛が束になってはみ出ている。印刷された書類にも黒い線が写っていた。だが提出〆切が近かったので、レポートはその線が入ったまま提出した。

139

女子高生時代の話。「気付いてる？」と、肘で隣の女子に突かれながら無言で頷く。灰色の制服を着た女子が後ろに立っているからだ。丁度そこにはゴミ箱がある。ノートを千切って、女の子にぶつけるように投げると消えるが、また一時間もしないうちに現れる。それが毎日だった。

140

学生運動の頃、当時ある大学の助教授だった知人が、大学のトイレに行くと、足首から下の黄色い裸足の足が、小便器の下に置かれていた。悪戯と思ったが、それはぺたぺたと歩きだした。彼はすぐにトイレから出ようとしたが、ドアを開けた途端に、その足が先に駆け抜けていった。

141

大学のサークル部屋の冷蔵庫を整理していると、奥から女性のものらしい長い髪の毛の詰まったペットボトルが出てきた。部員の誰も見覚えがないという。半年前に整理したときにはなかった。犯人は分からない。部員が早く神社に持っていけと急かすので、夜中に置いてきた。

142

大学で数人で集まってレポートを書いていると、友達がトイレに行ってくると席を外した。彼女はすぐ戻ってきて、「あのトイレで人死んでるでしょ！」と声を上げた。そのときは知らなかったが、その後、卒業生から話に聞くところによると、そこで以前首吊り自殺があったという。

143

高校時代の話。梅雨のある雨の朝、教室にある傘立てに、傘を挿しておいた。帰りがけに自分の傘を引き抜いてみると、透明なビニール傘の内側に、生乾きの血が何本も線を描いてこびりついていた。血が付くような覚えもなく、気持ちが悪いので傘はそのまま捨てて帰った。

144

大学の校舎の階段を手摺りに掴まりながら上っていると、指先にべたりと液状のものが付着した。ティッシュを出して拭い、指を鼻に近づけると、刺激臭がした。何処かで早く洗わないと、と思いつつ、再び手摺りを掴もうとすると、指先が宙を切った。数分間、指が消えてしまった。

145

ある高校の合宿所の鏡は全て撤去されている。その学校の周囲は山に囲われ、合宿所は山の麓にある。ある年、学校の裏山で自殺した男性の白骨遺体が発見された。第一発見者はその高校の教員で、それ以来、合宿所の鏡に、男性の幽霊が映るようになってしまったからだという。

146

中学校の保健室には幽霊が出るという噂があった。ある日、そんな噂を気にしていられないほど体調が悪くなった。保健室のベッドに横になり、保健医が家族に連絡を取りに行く間、誰もいないはずのカーテンの向こうから、細い女性の声で「ねぇ大丈夫？」と何度も声を掛けられた。

147

高校の四階の教室で授業を受けている間、窓の外を見ると、高い杉の木の上の方に、鮮やかな赤色のボールが引っかかっていた。目を離すと、先刻よりも上に移動している。暫くして、気付いたら幹のてっぺんでふらふらしていた。あっと思った瞬間、身を投げるようにして落ちた。

148

中国の全寮制学校での話。深夜、同室の子がトイレで絶叫を上げた。駆けつけると、外に白い女性が漂っていたと繰り返す。それを聞いて、自殺した女生徒が出るとの噂を思い出した。翌朝、その「鬼」を見た子は、精神に異常を来していた。彼女はそれ以来精神病院に入ったままだ。

149

部活の先輩が校舎から落ちて亡くなり、その後「出る」という噂が立った。ある日の夕方、部室に友人が青い顔をして駆け込んできた。落ち着かせて話を聞くと、その先輩が姿を現したという。先輩は校舎の窓を抜け、真っ赤な夕焼け空を西に向かって空中を歩いていったらしい。

150

大学の図書館で本を読んでいると、何かが視界の隅を横切った。顔を上げて周りを見ると、背が二メートルほどもあり、厚みがなくてぺらぺらの女がゆっくりと移動していた。最初は写真かポスターかと思ったが、顔や身体の角度が変わっていくので、現実のものではないと確信した。

151

中学生のときの話。女子トイレで友達と話していると、個室からガタガタという音がした。驚いて友達と大声を上げてトイレから飛び出した。しかし気になったので、すぐ友達とトイレに戻った。確認すると、全ての個室の汚物入れが倒れていた。その間、人の出入りはなかった。

152

知人が現役受験生のとき、ある大学の試験会場に、鉛筆を五本持ち込んだ。試験が始まったが、途中で鉛筆を一本落とした。直後、左手首の辺りに鉛筆が転がってきた。自分のものとは違う銘柄のちびた鉛筆だった。周囲に試験監督もいない。調子が狂って試験には落ちたという。

153

友人が部活を終えて自転車置き場に行くと、ぼろぼろの乳母車を押す中年女性が佇んでいた。女性は暫くこちらを見て、「私の赤ちゃんを知りませんか？」と訊ねた。問いには「知りません」と即答して逃げるように帰った。高校に伝わる怪談話と同じ体験なので大変怖かったという。

154

大学で論文を書いている間、次第に背後の空気が凝（こご）っていき、二人の人間の気配がした。その二人はすぐ背後に立つと、画面をじっと覗き込み始めた。怖くてただ目の前の文章を終わらせようと必死にキーボードを叩き続けていると、次第に気配は薄くなって、消えた。

155

以前勤めていた学校の地下には、三十年の間使われていない教室があった。ある日火災報知器の点検で中に入った。がらんとした教室だったが、その中央に揃えられた女子の革靴があった。作業の間、その靴の上に、首から下だけの半透明の少女が正座しているのが見えていた。

156

夜まで学園祭の準備をしていた友人が、「汗だくだよ」と言いながらプレハブの裏から出てきた。それを見た面々は、彼の顔を見て「お前顔中血だらけだぞ！」と慌てた。彼は顔を拭って絶句した。何処にも傷はなかったが、色といい鉄の臭いといい、血には間違いなかった。

神奈川県平塚市での話。授業の静寂を切り裂くように、廊下を駆け抜ける足音が響いた。授業を邪魔された教師が廊下を見ると、セーラー服を着た後ろ姿が軽やかに走っていった。だがここは男子校だ。現象は何年も続いているが、走っていく生徒の性別の調査は現状なされていない。

第三章

158-260

物と写真にまつわる話

あなたにも、棚に置かれたものがその向きを変えていたり、どこかに置いたはずなのに、もう二度と部屋で見つからないものに心当たりがないだろうか？

158

近所で引っ越しがあった。ゴミ捨て場に粗大ゴミの回収シールを貼ったソファや鏡台などが置いてある。そこから長い鏡を拾った。だが、その夜から照明を消して真っ暗なはずの部屋の中に、赤い光が灯る。出所不明の光を鏡が反射していると気付き、また粗大ゴミに出した。

159

朝起きると、テーブルの上にピカピカに磨かれた革靴が片方だけ転がっていた。中を検(あらた)めると、英字新聞が丸めて突っ込んである。その日付は百年近く前のものだった。家族の誰かが買ってきたのかと思ったが、買った人はおろか、そのサイズの靴を履ける人すらいなかった。

160

机の脇にキーホルダーが幾つも飾られている。ある夜、〆切に追われて作業していると、そのキーホルダーが揃って揺れ始めた。地震かと思ったが違うようだ。暫くすると、一段大きく揺れた後、全て同じ方向に高速に回転し始め、どれも金具が外れて落ちてしまった。

161

父方の祖母が亡くなった。葬儀の翌日、写真立てに入っていた父方の家族写真が消え、写真立ての中が空になっていた。親戚の誰に訊いても知らないというので、祖母が持っていったのだろうという話になった。だが四十九日を過ぎた頃に、写真立てには写真が戻っていた。

162

一人暮らしの友人の話。風呂で身体を洗っていると、鏡に映ったドアの磨りガラスに黒い影が動いた。振り返っても影はない。再び鏡を見ると、やはり見える。暫く湯船で震えていたが、思い切ってドアを開けた。脱衣所に覚えのない黒い女物のワンピースが落ちていた。

163

寝室で本を読んでいると、居間からスリッパを引き摺る足音が聞こえた。何だろうと思って見に行くと、居間の真ん中に、客用のスリッパが「直前まで歩いていました」という具合に、前後にずれた状態で置かれていた。拾ってスリッパ立てに戻したが、理由は未だに不明。

164

玄関に置かれたゴリラのぬいぐるみは五歳児ほどの大きさだ。このゴリラは家族全員で家を空けた後に帰宅すると、稀に玄関から姿を消していることがある。家族は慣れたもので、居間の窓辺に向かう。昼間太陽の光を存分に吸ったゴリラは、毎回そこで日向の匂いを放っている。

165

買ってきた中古のCDを家で聴こうとすると、パン、と音がしてケースのヒンジの部分が砕けて飛び散った。驚いていると、もう一方のヒンジも飛び散った。ケースはばらばらになり、CDも床に落ちた。怪我はなかったが、もうそのCDを聴く気にはなれなかった。

166

ネットの友人が亡くなったと聞き、年賀状の住所を頼りにお線香を上げに行った。だがその住所は架空のものだった。その夜から友人の母と名乗る女性から、何故か頻繁に電話が掛かってくる。友人には電話番号を教えていなかったので、怖くなって携帯を解約した。

167

小学校時代の話。修学旅行の集合写真が、半年ほども経ってやっと配布された。噂では集合写真の中に、馬に乗った武者の幽霊が何体も映り込んでいて、写真屋が出すのを渋ったためだったという。確かに配布された写真には、馬の姿に見える白い煙状のものが写っていた。

168

都内の女子大に通う学生の話。子供の頃、テレビの心霊特集を見ていたら、呪いの人形の話があったという。それを見ていて「うちにもこんな人形あるよねー」と言っていると、棚の上に飾られた西洋人形が、次々と倒れ、棚から落ちて砕けた。それ以来、西洋人形は見るのも怖い。

169

帰省して、年末の大掃除を手伝っていると、納戸に子供の頃好きだったレコードや人形がぎっしり詰まっていた。取っておいたのかと、父親に訊ねると、お前が家を出るときに、皆捨てたじゃないかと言う。確かにそうだと戻ってみると、先ほど見たはずの玩具はなく、納戸は空だった。

170

オークションで赤ん坊の歩行器を買った夫婦の話。届いて荷を解くときに、自分の子は寝ているのに、子供の泣き声がした。他にも、朝になると歩行器が夜置いた所から離れた場所に動くなどの気持ち悪いことが続いた。売り主にメールしても返事がない。すぐ新品に買い換えたという。

171

友達が遊びに来る途中で、櫛（くし）を拾ったという。友人は部屋にその櫛を置いて帰ったが、その日以来、部屋の空気が重く、夜は金縛りにも遭うようになった。勘の鋭い友人が部屋に来た際に、櫛に禿頭の中年の小男が憑いていると言われたので、即刻神社に引き取ってもらった。

172

友人は、家族や友達と連れ立って箱根の大雄山に行くと、必ず御神木の前に並んで写真を撮ろうとする。だが今まで一度も写真が撮れた試しがない。今まで五、六回は行ったが、過去は現像に出した写真が返ってこず、最近ではデジカメの挙動がおかしくなって、未だに撮れていない。

173

以前暮らしていたアパートでの話。朝起きて出社しようとすると、玄関に置かれた革靴の片方だけに水がぴったり溜まっている。雨漏りも疑ったがその気配もない。その日以来、引っ越した先でも時折革靴に水が溜まるので、すっかりスニーカーしか履かなくなってしまった。

174

以前、学生から聞かせてもらった話。「最近まで曽祖母の遺影が笑ったり怒ったりするので、風呂敷を掛けていました。今ではもう穏やかな顔で変わらなくなりましたが、いつまた表情が変わるか分からないので、風呂敷は今でもそのままです」

175

祖父は若い頃放蕩（ほうとう）の限りを尽くした後で修行に出た。年を経て忽然と姿を現したが、その際に不動明王の入った厨子を背負っていた。彼の死後、それを家に置いておくと、男子が絶えると占いに出た。実際に長男が早死にし、その不動明王は家ではなく店に置かれることになった。

176

怪談を書いていると、背後で文庫本が一冊ばさりと落ちた。手に取ると怪談集だ。バランスの悪い所に積んだかと思ったが、棚には本一冊分の隙間が開いている。変だなと思いつつそこに収めた。だが書き上げるまでに何度も本が落ちるので、その怪談はお蔵入りにした。

177

引っ越し先のアパートの押し入れに、大きな福助があった。前の住人が置いていったのかと気持ち悪く感じて捨てた。だが夜に大学から帰ると、玄関のドアの前に、その福助が置いてあった。後でまた捨てようと、外に置いておいたが、いつの間にかまた押し入れの中に戻っていた。

178

一人暮らしの友人が自宅で風呂に入ろうとした。洗い場には小振りの黄色いアヒルの玩具が並んでいた。目を強く瞑ってもう一度開くと、整列したアヒル達は姿を消した。しかし洗い場の真ん中には、一際大きいアヒルの玩具が鎮座していた。それは今も風呂場に置いてある。

179

大学生の頃に体験した話。夜、アパートに戻って課題でもしようかと、バッグから荷物を取り出していると、何かが机の下に転がった。何だろうと思って拾い上げてみると、見知らぬピアスだ。更にバッグをひっくり返してみると、片方ずつのピアスが合計五つも入っていた。

180

友人のアパートには、小柄な彼女に不釣り合いな巨大な姿見がある。後輩が引っ越すときに貰ってきたものだ。年に数度その姿見に首から下だけの男の姿が映り込む。男は洒落者らしく、毎回違う服を着てポーズを取っている。最初は怖かったが、最近は少し楽しみにしている。

181

知人が転居したときの話。引っ越し先に運び込まれた段ボールの数が一つ多かった。開くと、中から見慣れぬ子供の玩具が出てきた。業者に問い合わせたが、混在はあり得ないと言われた。帰宅した旦那さんに言うと、その玩具を見て、「これ僕が昔なくした玩具だ」と戸惑っていた。

182

週末の掃除を終え、回収日まで置いておこうかとゴミ袋数袋を部屋の隅に重ねておいた。夜、どうもその辺りからガサガサと音がする。ついに重ねた上のゴミ袋がゴロンと転がり、床に落ちた。更にゴロンゴロンと部屋の中を何周も転がり続け、最後は反対側の窓際で止まった。

183

友達とゲームセンターでプリクラを撮った。できあがってきた写真を見て、二人で絶句した。ポーズを取る二人の間に、小さくぼんやりとした顔が写っていた。その部分だけ白黒で、輪郭などはボケているのだが、何故か目にだけはっきりピントが合っていた。目力が凄かった。

184

実家の蔵には、大きな壷があった。壷には固く封印がされていたが、高校生の頃にその壷を開けたことがある。中から異様な臭いが溢れ、痩せこけた手が伸びてきたところで、祖父が駆けつけ、数珠でその手を叩いて救ってくれた。その後、壷は寺に納められたという。

185

墓を掃除していると、何処かの姉弟が墓石の上を渡って遊んでいた。服はピンクと青。注意すると、二人は素直に墓石から降りたが、すぐに姿が見えなくなった。見失うはずもないと不思議に思っていると、二人が降りた屋根付きの墓には、ピンクと青の人形が並んで納められていた。

ぬいぐるみを沢山持っている知り合いの部屋は、窓際やベッド、ソファ、箪笥(たんす)の上などに様々な可愛いらしいキャラクターが並んでいる。ある日、仕事を終えて部屋に戻って着替えていると、何か妙な視線を感じた。見回すといつの間にか全てのぬいぐるみが彼女の方を向いていた。

小雨の降る帰宅途中、開いたビニール傘が道の端に転がっていた。近づくと、傘は地面と擦れてズズズッと音を立てた。通り過ぎようとすると傘は転がり、音を立てて迫ってきた。逃げるようにアパートの階段を上った。翌朝、折り畳んだ傘が自室のドアノブにぶら下がっていた。

実家の蔵には、不思議な壷がある。高さは六十センチ程で、内側は覗いても底が見えないほど真っ黒で、中で小さな青白い光がくるくると飛んでいる。伝承によれば、それは死者の魂なのだという。その光は年に数度そこから飛び出し、何処かに飛んでいき、また戻ってくる。

朝起きると、ベッドサイドに脱いだはずのスリッパがない。夜中に寝ぼけてトイレの前にでも忘れてきたのかとも思ったが、何処を探してもない。数日後、隣の県にある実家から電話が掛かってきて、母親から「あんたのスリッパ、何でうちにあるのよ?」と訊かれた。

190

夜中に目覚めてトイレに行こうとベッドを下りると違和感を覚えた。足下に人形が立っている。寝ぼけ頭で子供が悪戯したのかなと考える。だが冷静に考えると、人形が支えなしで立てるはずがない。首を傾げつつトイレのドアを開けると、その床に先ほどの人形が立っていた。

191

夜中、キッチンの方から何か洗濯機を回しているような異音がしている。何だろうと起きだして確認していると、食器棚の中から音が響いている。恐る恐る開けてみると、擂り鉢が、擂り粉木も擂るべき物もなく、ただごうりごうりと音を立てていた。今でも時々聞こえる。

192

祖父の葬儀の日、初七日の法要まで全て終わり、式場を閉めようとすると、女性用の靴が一足残っていた。式場の中を探しても誰もいない。忘れて帰ったにしては、まだ真新しいもので、誰かが履き間違えていったにしても数がおかしい。未だにその持ち主は現れていない。

193

後輩は都内のマンションに住んでいる。深夜帰宅し、玄関の電気を点けると、天井を色とりどりの風船が埋めていた。風船は彼の開けたドアの隙間から、次々と夜空に飛んでいった。部屋には誰も入った形跡はなかったが、念の為に翌朝管理会社に電話したが、信じてもらえなかった。

194

引っ越しのときに中古の冷蔵庫を手に入れた。だが電源を入れると、中からヤスリで何かを削るような音が始まった。音の出所を探ると、電源や駆動部ではなく、庫内からだ。更に呟くような人の声まで聞こえ始めた。ドアを開けると止むが、気持ちが悪いので、すぐ返品した。

195

フィルム写真の時代の話。友人が父親のお通夜で、せっかく親戚が集まったのだからと、祭壇の前で集合写真を撮った。一枚目撮ります、二枚目撮りますと、数秒開けて二回シャッターを押した。現像されてきた写真は、一枚目が右半分真っ黒、二枚目が左半分真っ黒な写真だった。

196

夜中にトイレに起きると、テーブルの上のガラスのコップが、底をテーブルに細かく擦るようにカタカタと音を立てていた。地震ではなく、建て付けが悪い訳でもない。寝ぼけている訳でもない。無視してトイレに行って戻ってきたらコップは落ちていた。幸い割れてはいなかった。

197

父は子供に仕事を邪魔されるのを嫌い、庭に四畳半ほどの小屋を建てた。仕事の本や書類を並べて満足そうだったが、その日の夜に小屋から大きな音が響いた。泥棒かと父が見に行くと、並べたはずの本や書類が小屋の中を乱舞していたという。以来、彼は一度も小屋に入っていない。

198

友人がある日、変なことがあったと封筒を取り出した。中にゼミで使っているハードカバーの教科書が入っていた。「ちょっと見てくれ」と困惑した表情を見せた。覗き込むと、ハードカバーの表紙から裏表紙までを貫く、直径四ミリ程の丸い穴が幾つも開いていた。

199

夜、近所のトランクルームの中から壁を叩く音が聞こえた。誰かが入ってるんじゃないかと業者に連絡をした。業者が確認すると誰もいない。だが翌晩も扉を叩く音がする。また業者に連絡し、今度は契約主が立ち会いで確認の後、人形の入った箱を持ち帰った。翌晩から音は止んだ。

200

数年前に勤めていた雑居ビルの階段に、大量の段ボールが何年も放置されていた。役所から注意を受けたので整理をしていると、一つに古い位牌がぎっしりと詰まっていた。何処から来たのか誰も知らなかったが、社員の一人が「これのせいか！」と叫んだ。

201

一人暮らしの後輩の話。ある朝、烏龍茶をガラスの急須に入れてお湯を注いだ。茶葉が開き、そろそろ飲もうかとカップに注ぎかけたところで、急な仕事の電話に呼び出された。夜、帰宅してテーブルの急須を触ると、何故か温かい。中には丁度いい案配のお茶が入っていた。

202

転職前の話。紙コップ式自動販売機でコーヒーを買って飲み干すと、自分が口を付けていた場所と反対側に口紅の跡が付いた。何度か続いたので、それ以降使わないようにしていた。そこを退職する直前には、部署で紙コップに歯形が付くという噂が流れていた。

203

昔住んでいたアパートでは、机の上にレシートを置いておくと、二日と保たずに真っ白な紙になった。別段直接日が当たる訳でもなく、当然薬品の類いも持っていない。ただ、レシートがどんどん真っ白になってしまうので、溜めておくと家計簿が付けられないのが悩みの種だった。

204

新しく買った手帳を捲っていると、あるページの中央に、自分の名字の判子が捺してあった。自分で捺した記憶もないので、不思議に思っていたが、数日後、別のページにも判子が捺してあった。更に数日後、別のページにも捺されていた。全て同じ印影の浸透印だった。

205

酷い咳をして、ちり紙に痰を吐いたところで、唇におかしな感触があることに気付いた。喉から糸が伸びていた。今吐いた痰に、細い糸が絡んでいた。驚いてゆっくりとその糸を引くと、喉の奥から出てくる出てくる。およそ三メートルもある一続きの撚(よ)られた白い糸が出てきた。

206

アパートに差出人不明の手紙が届いた。開くと便箋に「よろしくお願いします」とあった。不思議に思ったが、心当たりもない。だが、その夜から赤ん坊の泣き声が聞こえたり、壁に子供の手形が付いたりと不思議なことが続く。お祓いにも行ったが、神主に渋い顔をされた。

207

古い屋敷の解体作業中、知り合いの棟梁が畳を剥がすと、床には巨大な「封」という印が捺されていた。これは手を付けてはマズいと依頼主に連絡を取ると、当日のうちに作業は中断された。次に彼が呼ばれたときには、その近辺から火が出て、屋敷は全焼したと聞かされた。

208

一人暮らしで物置にしている部屋から誰かが喋っている声が聞こえた。確認しに行っても誰もいない。どこかの音が共鳴しているのだろうと放って外出したが、夜帰ると、その部屋に乱雑に置かれていた段ボールが全て壁にぴったりと天井まで積み上げられており、下ろすのに一苦労だった。

209

夜中に冷蔵庫を開けると、綺麗にラッピングされた小箱があった。開けると中には球状のホワイトチョコレートが一つ。ただ、目玉のように黒目がプリントされ、虹彩まで描かれている。自分も家族も買った覚えはなく、余りに気持ちが悪いので捨てられず、ずっと冷蔵庫にある。

210

新宿で中古カメラを買った。白黒フィルムを詰めて街中でスナップ写真を撮り歩いた。撮り終わって現像すると、何コマかに一度写真が写っていない。不思議に思いながら暫く使っていたが、次第に知らない顔が写り込んだ写真が増えてきた。怖くなってカメラはすぐに売り払った。

211

大工の方から聞いた話。旧い家の取り壊しのときに、部屋の壁の中から、紙製の人を象（かたど）った紙がばらばらと出てきた。それらは几帳面に折り畳まれ、一枚一枚に経文が書いてあった。そのとき一緒に作業していた年寄りの大工が突然念仏を唱え始めた。理由は教えてくれなかった。

212

実家の蔵には、およそ二百年前から伝わる古い桐箪笥がある。あるとき蔵を探検していると、奥から何かがガタガタいう音がした。猫かイタチでも紛れ込んだかと、音のした辺りに行くと、箪笥が揺れていた。他の物は揺れていないので、地震ではない。理由は不明だ。

213

ある団地の一室が、外から見るとゴミで一杯だとの通報を受けた。管理人がその部屋のドアを開けると、人が入れるような隙間もなく、ぎっしりゴミが詰まっていた。ただ、どの窓にも鍵が掛かっており、更に前の住人が引っ越した際にも、綺麗に片付けて出たのを確認している。

214

修学旅行で、奈良の旅館に泊まった。初日の夜、女子部屋で友達が鏡越しに写真を撮ると、彼女の背後に、長い髪の女性が写った。顔が髪に隠れて見えない。その日は写真を消して終わった。しかし翌日、その子は三階にあった無人の男子部屋の窓から転落して、救急車で運ばれた。

215

先を歩く女性の足取りが、急に大きく乱れた。両足の長さがまるで違っている。バランスを取るためか、上半身を振り子のように大きく振って歩いていたが、ついに倒れた。「大丈夫ですか」と声を掛けながら走り寄ってみると、倒れているのは一体の古いマネキン人形だった。

216

妹の友人は怖がりだが怪談好きという変わり種で、怪談本もよく買い求める。「一年に五冊ぐらいは買うから家に三十冊ぐらいあるはず。でも一冊も見つからないんです」とは彼女の言。勿論捨てた覚えもない。狭いマンションで、本が何処にいってしまったのかは全く分からない。

217

早朝、仕事場に行くと、使っている事務机が、ガチャガチャと音を立てて、やけに騒がしい。一体何が音を出しているのかと、引き出しを一段一段開けていく。すると、文房具を入れてある薄い引き出しから折れたカッターの刃が飛び出してきた。あと少しで目に刺さるところだった。

218

虫歯の治療をしたことのない友人が風邪を引いた。風呂に入って、鼻が通るまで鼻をかむ。何度も強くかんでいると、どろっとした血の塊が出た。鼻血かと思ったが、もう一度だけと鼻を強くかんだ。鼻の奥から何か飛び出て床でカランと鳴った。どう見ても歯に詰める銀だった。

219

手元の硯箱（すずりばこ）は、曽祖父の時代からのものだ。譲り受けた後で気付いたが、硯箱は二重底で、開くと中に不思議な写真が入っていた。曽祖父と祖父、父、そして自分が一同に写った古い写真だ。自分が生まれたときには曽祖父も祖父も亡くなっていたはずだ。写真は今も硯箱の中にある。

220

ある晩、徹夜で仕事をしていると、明け方、庭からキコキコ音がする。金属の缶を素早く缶切りで開けていくような音に思えたが、虫か鳥の声かと放置していた。ある日植木の植え替えをするために職人さんが穴を掘っていると、覚えのない空き缶が土の中から百個程も出てきた。

221

知人が「変な写真なら一枚ありますよ」と写真を差し出した。それは古い白黒のプリントで、写っているのは、半透明の無数の不気味な人形と、その中心で微笑む少女だった。彼が言うには、最初に写真を手に入れたときには、中央の微笑む女の子しか写っていなかったという。

風呂に入っている間、寒くて換気扇を止めていた。だが空気の流れはないはずなのに、干してあるナイロンタオルの端が持ち上がるように揺れる。変だと思いながら風呂から上がったが、眼鏡を忘れたので、もう一度風呂に戻った。ナイロンタオルは天井近くの物干しに移動していた。

十年以上昔に母親の遺影を撮ったレンズは、一眼レフの五十ミリの交換レンズだった。本体が壊れたのでボディを新調したが、そのレンズで撮った写真には、母親の姿が写ることがある。家族にも見せたが、やはり母だという。だがその姿は家族にしか見えず、他人には見えない。

友人の家では、変なことが起きる。ただ、それは彼にだけ起きて、家族は体験したことはない。ある夜、寝返りを打つと、何か硬いものが横にある。随分大きい。はっとして電気を点けると、等身大の木製のピエロの人形が布団の中にあった。悲鳴を上げるとパッと消えた。

先輩から貰ったスピーカーは、二本で中古車が買える程の高級品だった。だが週末にセッティングしようと部屋の隅に置いたそのスピーカーから、何故か女の声が聞こえる。配線すらしていないのに、小さく「まだか、まだか」と繰り返す。気持ち悪いので、理由は告げずに返却した。

226

自宅で仕事をしていると、天井から羽毛が降ってきた。机に落ちたので指先で摘んで捨てた。暫くするとまた降ってきた。ふと思いつき、降ってくる度に空き瓶の中に保管しておいた。続けていると、一週間程で瓶が一杯になった。羽毛布団を始めとして心当たりとなる品はない。

227

友人が海で石を拾った。それ以来、運も悪いし体調も悪いという。ついに友人達から「お祓いでも受けたら」と言われるようになった。彼がその石を見せてもらうと、だいぶ波に削られてはいるが、「呪」と読めた。早速石をお寺に持っていって供養してもらったという。

228

区役所職員から聞いた話。初年度に下水道係に配属され、区内の下水溝に入ることもしばしばだったという。ある日下水溝に入ると、澱みに日本人形が浮いていた。奥の方に光を遣ると、更に数十体浮いていた。そんな馬鹿なと手を伸ばしたとき、それらは一斉に水中に没した。

229

友人の家に遊びに行ったときの話。ひょんなことから、友人の卒業アルバムを見ることになった。その卒業アルバムを繰っていると、一枚の写真に違和感を抱いた。何かしらと思って、その写真をまじまじと見ていると、写っている友人の手の骨が、うっすらと透けて見えていた。

230

学生時代の話。ゴミ置き場に捨ててあったデニムのパンツが、まだ新しそうなので拾って帰った。洗濯して履いてみるとサイズもぴったりで、これは儲けたと喜んだ。しかし、それを穿いていると、気がつかない間に内太腿に歯型のような傷が付く。気持ちが悪いのですぐに捨てた。

231

鞄から取り出したヘッドフォンのケーブルが絡まっていた。鞄に詰めたときには、八の字巻きをしておいたのに、とぼやきながら解いていくと、何故かヘッドフォンジャックが二つある。散々苦労してほどくと、覚えのない、根元で断ち切られた古いケーブルが一本絡んでいた。

232

河原に行くと赤くて丸い石が転がっていた。見れば見るほど真円に近い。珍しく思ったので、拾ってきて机の引き出しに入れておいた。数日後、その石が真二つに割れ、断面には顔のような模様が浮き出ていた。それ以来悪いことが続くので、拾った川に流しに行った。

233

ボックスティッシュが切れたので、机の中にしまっておいたポケットティッシュを取り出し、鼻をかんだ。仕事をしながら鼻を拭うためにティッシュを指先だけで取り出そうとすると、何枚か貼りついて出てきた。見ると、ティッシュの中央に赤黒く血が染みていた。

234

朝起きて仕事の準備をしていると、メモ帳に子供の掌が朱肉でべたべたと捺されていた。子供が悪戯したのだろう。やれやれと思いながら仕事に向かう。次に会社で袖机に入っているクリアフォルダーを見てぞっとした。同じ手形が湿ったまま、中央にべたりと捺されていた。

235

風呂から上がるとき、洗い場に卵が落ちていることに気付いた。赤卵だ。普段白い卵を買うので、何故そんなものが風呂場にあるか見当が付かなかった。風呂上がりに、どうしたものだろうと考えた末、とりあえず割った。生卵で、まだ新鮮だ。火を通して食べたが美味だった。

236

公園のトイレの手洗いに綿棒が落ちていた。二本の綿棒の綿と綿が、黒く固まった血糊で繋がっている。逃げるように外に出ると、同じような綿棒でできた三角錐が落ちていた。翌朝出勤するときに、誰が置いたのか、郵便受けの上にそれが二つ揃えて置かれているのに気付いた。

237

フリーマーケットでの話。ぬいぐるみを並べた店に、テディベアが一体あった。手に取ると、向かって左側の目が二つあり、その奥の目がぎょろりとこちらを向いた。店員から、「気に入られたんですね。是非持っていってください」と声を掛けられた。持って帰る勇気はなかった。

238

深夜一人で残業していると、フロアにカラカラと軽い音が響いた。何の音かと耳を澄ますと、鉛筆がフロアを転がっていく。床が傾いているのかと、手元のトラックボールの球を床に置いてみたが動かない。その後鉛筆は壁まで辿り着くと、再びカラカラと音を立てながら戻ってきた。

239

高校生の頃の話。ラーメンに入れるため、ゆで卵を作った。できあがってまだ熱いそれを水に浸して殻を剥く。さあ食べようと、卵を箸で半分に切ろうとしたが、何か固いものに当たった。卵を崩してみると、中から青い虹彩の義眼が出てきた。

240

大学生のときの話。友人と東京都と山梨県との境の山中にある廃屋に行こうという話になった。夜、二人で車に乗っていったが、余りにも怖くて入る勇気が出ない。そこで写真を撮って帰った。家で写真を確認すると、全ての窓という窓から、こちらをじっと見つめる顔が写っていた。

241

以前知り合った画商の倉庫には、店頭に出さない絵が何枚もある。そのうち一枚は、何度売っても戻ってくる絵だ。女性を描いたもので、一見変哲もないが、今まで所有した人は皆不審な亡くなり方をしている。何度売っても戻ってくるので、もう市場に出すのは諦めたという。

242

終活を進めている父親が、剥製（はくせい）のコレクションを処分してくれというので、破棄している最中に鳥の脚を折った。その直後に別室で本の整理をしていた父親が叫び声を上げた。何事かと確認しに行くと、痛くて歩けないという。病院でレントゲンを撮ると、膝関節が両方脱臼していた。

243

子供の頃に家族とハワイに旅行に行った。だが行く先々に、服装まで自分そっくりの男の子が待っている。当時は「ああ、自分と似た人がいるんだなあ」と思っただけだが、空港で父親が撮った写真にも、その子が写り込んでいた。余りにもそっくりなので、今でも話題になる。

244

新築マンションに入居して、開梱の作業を終え、さて汗を流そうとシャワーを浴びていると、背後でカランと何かが落ちる音がした。振り返ると、白いタイルの上に真新しい幅広の白い歯ブラシが落ちていた。家族に心当たりがあるか訊ねたが、誰も知らなかった。

245

ある日、同僚から手作り石鹸を貰った。その直後、その同僚は会社を辞めてしまった。貰った石鹸は、どうも変な臭いがするので浴室に置いたまま使わないでおいた。それは次第に溶けて、中から白くて固いものが出てきた。何かと思って割ってみると、剥がした爪が四枚出てきた。

246

大学時代のアパートは、入居のときから鏡が全て取り外されていた。仕方なく姿見を買ったが、どうもその姿見におかしなものが映る。自分の背後に、白い影が通り過ぎるのが映り込むのだ。ある日のこと、覗き込んでもいないのに自分の顔が大きく映っていたのを見て、姿見は捨てた。

247

以前拾った姿見を廃品回収に出そうと、廃品回収業者を家に呼んだ。業者はそれを一瞥(いちべつ)、「これは引き取れんね」と言った。理由を教えてくれと言うと、「うちじゃなくて、こりゃお寺か神社の仕事だ」と一言。具体的には一切教えてくれなかった。結局、市の廃品回収に出したという。

248

実家の蔵から、古いお札が貼られた茶箱が出てきた。不思議に思い、近所の寺の住職立ち会いの下に蓋を開けることになった。すると、中から江戸期のものと思われる草履や下駄が大量に出てきたが、どれも片側しかない。何故そんなものが蔵にあったか由来も不明だという。

249

仲間と海でバーベキューをした後で、最後にみんなで写真を撮った。その写真の自分の胸部に白い顔が写っている。どう見ても自分の彼氏の顔だ。周囲も断言する。後日彼氏に写真を見せると驚かれた。同時刻に会社で気分が悪くなり、休んだときにバーベキューの夢を見たのだという。

250

友達数名との飲み会を写した写真の端の方に、お面を被った人物が写り込んでいた。当時も気持ち悪いと話題になったが、最近までそんな写真があることも忘れていた。だが最近、そのお面を被った人物が、電柱の影や、カフェの奥のカウンターからこちらを見ているのに気が付いた。

251

マンションの風呂場に干してあったゴム手袋が、何故か片方だけ、倍ほどの大きさにパンパンに膨らんでいた。湯に浸かって暫く様子を見ていると、いきなり手首からぶしゅうと水を噴いた。水は湯船に落ちると白く濁った。手袋は元の大きさに戻ったが、すぐに捨てた。

252

高校時代の吹奏楽部での話。高校二年のときのこと、定期演奏会前に病気がちだった一人の女子部員が亡くなってしまった。定期演奏会の当日、演奏を終えて集合写真を撮ったところ、亡くなった彼女が映り込んでいた。その子の学年が高校を卒業すると、映り込んだ彼女も消えた。

253

「この写真、どう思う？」と見せられたのは、社員旅行で行った観光地で撮られた数枚の写真だった。その中に一人、参加していないはずの社員が混じって、一際楽しそうにしている。「この写真、本人にあげた方がいいと思う？」との質問には、どう答えて良いか分からなかった。

254

ベランダに、青い小さな卵が落ちていた。拾って台所の端に置いておいたが、誤ってディスポーザに掛けてしまった。破砕音とともに耳を覆いたくなるような金切り声が響き、慌てて電源を切った。だが、声は止まない。水を思い切り流し続けると止んだが、今も時々台所にその声が響く。

255

着ていない服を整理しようとクローゼットから服を引っぱり出した。並べると想像以上に数がある。捨てようと服をハンガーから外していると、一着に、白くて長いしぼんだゴム風船状のものが内側から両袖を通っていた。何これと引き出したが結局分からずじまいだった。

256

友人が妊婦時代に、古本屋でマタニティ本を買った。早速ページを開くと、ふわりふわりと茶色い煙が見開きから立ち上った。最初は埃か何かかと思ったが、どうやらそうではない。その瞬間急に悪寒と腹痛が起こった。救急車を呼んで病院に運ばれた。切迫流産寸前で入院となった。

257

母親が亡くなったときの話。一眼レフのカメラで母の遺影を撮った。数枚撮るとシャッターが切れなくなった。壊れてしまったようで、フィルムはカメラ屋に依頼して抜き取ってもらったが、カメラ自体は直らないと言われた。母親は写真が苦手だったことをそのとき思い出した。

258

玄関に大きな蛙の置物がある。物心付いた頃からあるので、疑問に思わなかったが、ある日、その由来を両親に訊ねてみた。すると二人は深刻な顔で、あれはあんたの命に関わるから、まだ話せないと言った。そんな両親の口調は初めてだったので、気にはなるが今も聞けないままだ。

259

友人の父は写真が好きで、観光地などに行くと大量の写真を撮る。だが、嫌な気配のところを写そうとしても写真が撮れないという。フィルム式のカメラの時代には、フィルムが真っ黒や真っ白に露光した。デジカメの時代になってからはシャッター自体が切れなくなってしまった。

260

親戚が亡くなった際に、形見分けで洋皿が送られてきた。それ以来、体調が悪く、すぐに苛つくようになった。そのとき知人から電話があり、「変なもの貰ってない？」と問われた。事情を話すと、「悪いものが憑いてるから、すぐ捨てなさい」と言われた。捨てるとすぐに体調は戻った。

第四章

261-345

動植物と妖怪の話

話を多く聞き集めていると、「変なものに遭った」「狐に騙された」「狸に騙された」といった体験を耳にする。そのときの狐や狸は、動物としての狐狸ではなく得体の知れない何者かだ。

それらは「我々を揶揄ったり、騙したりするもの」であり、こちらに何ら不備がなくても、一方的に怪異を仕掛けてくる。

261

妻の知人の話。子供が小さい頃、「トイレに行きたくない」と繰り返しぐずったのだという。話を聞いてみると、トイレの天井にお爺さんが張り付いていて、上から覗くのが嫌だという。これは便所の神様かもしれないと、一度お酒やお米を奉ってからは、子供もぐずらなくなった。

262

飼っていた猫が交通事故に遭った。遺骸にはずっと付けていた緑色の首輪がなかった。家族で現場を探したが見つからない。数日後、その道の脇の畑で遊んでいると、猫の影がすぐ横を駆け抜けて消えた。不思議に思って消えた方向に向かうと、道にぽつんと首輪が転がっていた。

263

深夜誰もいないはずのワンルームマンションに帰って驚いた。真っ暗な中に、中型犬ほどの大きさの真っ黒な何かが、床に蹲ってビニール袋をガサガサと漁っていた。「誰?」と声を掛けたら、すぐに音は止んだ。電気を点けてみたが、音を立てるようなものは何もなかった。

264

昔住んでいたアパートの階段に、黒い綿毛でできた生き物みたいなものが巣食っていた。自分には見えていたが、母には見えていなかった。その後、今住んでいる一軒家に引っ越したが、今でもそれが家の階段の隅に住みついている。引っ越す際に一緒についてきたのかと考えている。

二日ぶりに帰宅して寝室の電気を点けると、窓の桟に白い鳥が留まっていた。何処から入ったのかと不思議に思ったが、疲れていたのでベッドに倒れた。寝ている間、シャラシャラという金属をこすり合わせる軽い音が聞こえた。鳥は朝には消えていたが、金属の羽が床に落ちていた。

千葉県に住む友人の話。街を歩いていると、銀色のウニのようなトゲトゲしたものが道の端を這っていた。悪戯心で蹴ると、少し離れた所まで転がっていき、ひっくり返ってもぞもぞしている。近づいて確認すると、先ほどまで裏側だった面に、毒々しい化粧の女の顔があった。

夜桜見物に出かけた。ライトアップした桜に暫く見とれていると、風も吹いていないのに、頭の上の桜が一片、また一片と散り始めた。その速度が次第に上がる。時間が止まったような静けさの中、夜桜の花びらが吹雪のように降り注いでくる。両肩が桜で埋まる程だった。

冷たい雨が降る夜、コンビニから自宅に帰る途中で奇妙なものを見かけた。街灯の光の下で何かもぞりと動いた。最初は蛇か何かだろうかと思ったがどうも違う。半透明のクラゲのような何かだった。それはゆっくり道路脇の溝へと動いていき、ぼちゃりと落ちて消えた。

269

朝起きると、台所で母親が誰かと話をしていた。相手は小さな声だ。台所を覗くと、母親と飼い犬がいるだけだ。振り返った母親が「コロとお話してたの。内緒だったけど、コロは喋れるのよ」と笑う。母親がおかしくなったと思ったが、そのときコロが「おはよう」と声を上げた。

270

自室でベッドに寝転んで本を読んでいると、何か黒い蝿のようなものが飛んでいる。近づいてきたので、横になったまま手を振って払おうとした。指先が蝿に当たった瞬間、小さく放電するような音がして、指先に痛みが走った。血豆が指先に四つできていた。

271

夏至の頃の話。公園の木陰で昼食を食べていた。目の前の生け垣からは、伸びた若い枝が何本も垂直に伸びている。暫くすると、急にざわざわと音がして、生け垣の上を走り抜けるように突風が吹いた。その無数の若い枝は薙（な）がれたように、パキパキと音を立てて地面に散った。

272

飼っている猫が、テレビの裏で何かを夢中になって齧（かじ）っている音がした。餌場はテレビの裏ではないし、何をそんなに一生懸命齧っているのかと不思議に思い、テレビの裏を覗くと、猫は一心不乱に棒状の赤黒いものをくわえている。よく見ると小さな小さな人の腕のようなものだった。

273

ある夜、大きな笑い声で目が覚めた。電気を点けて机の上を見てぎょっとした。直径二十センチ程のつるんとした真珠のような白い球体に口があって、笑っている。どうしていいか分からず、とりあえずコンビニに行って暫く時間を潰してから恐る恐る帰宅すると、もう消えていた。

274

初夏の話。庭仕事の途中で伸びすぎた蔦を切っていると、奇妙なものを見つけた。親指サイズの人形のようだが、ぼろぼろの赤い服と緑のズボンを身に着けている。どうにも乾涸らびた小人に見える。それは首に蔦をぐるぐるに巻かれ、苦悶の顔を浮かべながら息絶えていた。

275

部屋を掃除中に窓を開けていると、けたたましい笑い声を上げながら、巨大な顔が部屋に飛び込んできた。直径一メートル程の球状で、色はピーナッツの殻のような黄土色。それは硬質な音を立てながら部屋の中をしばらく跳ね回った後で、再び窓から飛び出していった。

276

夜、布団に潜り込むと、何か変な気配がした。天井を向いた頭の左上の方に、何かがいる。右肩を上げてそちらに目を向けると、直径一メートルはあるかという巨大な半透明の顔が浮いていた。おかっぱ頭で少女の顔だが、異常に大きい。何もしてこないので、そのまま目を閉じた。

277

蒸し暑い夜、アパートの部屋でゲームをしていると、背後の窓から視線を感じた。嫌だなと思いながらも、プレイ途中で振り返ることもできずにいた。そのとき、網戸がミチリと音を立てた。思わず振り返ると、網戸のすぐ外に真っ黒な馬の首が浮かんでいた。目が緑色に光っていた。

278

書斎に巨大な黒い蜂の死骸が落ちていた。ついぞ蜂など見かけたこともなく、何処から入ってきたかも分からない。しかも三月上旬で寒い季節。更に夜中だ。珍しいので、割り箸で摘まんで机の上の小瓶に入れておいたが、翌朝には消えてしまった。使った箸はゴミ箱に残っていた。

279

ある旧道のトンネルに幽霊が出るというので、友人と肝試しに行った。車から降り、トンネルを往復する。何も起きず、ほっとしたそのとき、友人が声を上げた。車の上に何かがいた。猿とも人とも言えない得体の知れないものが車の上に座っていた。それはしばらくすると闇に消えた。

280

よくネットの掲示板に怪談を投稿していたという男性の話。ある夜、いつものように怪談を書いていると、床の方から視線を感じた。嫌だなぁと思いながらそちらに目をやると、真っ白い蛇がとぐろを巻いていた。じっと見ていると、静かに闇に溶けるようにして消えていった。

281

今住んでいるアパートはペット不可だが、見えない猫が憑いている。気配や鳴き声は序の口で、片付けて出たはずなのに、物が散乱し、柱には爪痕が付く。朝起きると、布団の端に丸い凹みがある。時々何かが脚に擦り寄ることもある。最近困ったのは、蚤が大発生したことだ。

282

墓参に行くと、崖崩れで墓地が半分埋まっていた。自家の墓に被害はなかったので、そそくさと墓参を済ませた。そのとき視線を感じて振り返ると、墓を踏みつけ、三脚のようにまっすぐに三本の黒い脚を伸ばした、漆黒の仮面を付けた異形のものが、こちらを窺っていた。

283

夜中、和室の隅に、光る赤い目の、自分より大きな兎が二本足で立ってこちらを見ていた。恐ろしかったので慌てて逃げ出したが、後ろをついてくる。台所に追いつめられたが、兎はすぐ近くまで来ると消えてしまった。騒音で起きてきた母親も、その兎のことを目撃している。

284

酔って帰って布団に横になっていると、身長三センチ程の人が、本棚の横板を、もぞもぞと登っている。えっ？　と思ったが、本棚の上端に辿り着き、視線が届かなくなった。気のせいだと思っていたが、翌朝確認すると、本棚には針で刺したような小さな穴が点々と空いていた。

ある夜帰宅すると、マンションの自室の扉の前で、人よりも大きな純白の猫が毛繕いをしているのを見た。驚いて一度カフェで時間を潰し、日付が変わる頃に再度帰宅した。今度は猫が建物の前に移動していた。その夜は部屋に帰ることを諦めた。猫は数年に一度来るらしい。

286

昭和三十年代中頃のこと。使用後のねずみ獲りの罠を、火で炙っていたところ、中に何かいる訳でもないのに、ガタガタ激しく揺れだした。火箸で挟んでいたが、押さえられない程激しく動く。まるで中に何匹も鼠（ねずみ）がいて、火炙りになっているかのようだった。

287

アパートの敷地内に竹藪がある。深夜に竹藪でカラスが鳴いた。嫌だなと思っていると、今度はガサガサという音が近づいてくる。一階に住んでいるので気が気でなかった。直後、窓にドンドンと何かが当たった。翌朝恐る恐る窓を開けると、数羽のカラスの死骸が転がっていた。

288

知人が若い頃、上野で見た光景。お花見をしに上野に行き、ぼうっと桜を見ていると、散っていく花弁の一枚一枚全てに顔があった。どれも小さくて、はっきりとは見えないのだが、間違いなく顔だった。ただ、その全てが男の顔で、多くが悲しそうな顔をしていたのが今も気になる。

289

ベッドで漫画を読んでいるときに変な気配を感じた。起き上がって周囲を窺うと、庭に通じる窓から獅子舞が覗いている。どうしていいか分からず、ベッドから降りようと一瞬目を離すと、その隙に獅子舞は二体に増えていた。慌てて逃げた隣の部屋の窓からは、三体目が覗いていた。

290

夜目覚めて隣のベッドで寝ている娘の顔を確認すると、能面の「翁」の顔に変わっていた。ぎょっとして起きだし、顔に触れようとすると、面を通り越して肌に触れることができた。ライトを点けて一度娘さんを起こすと消えた。寝る場所を変えたら翌晩からは現れなくなった。

291

友人が彼女と一緒に合宿に行った。その合宿所を囲う林に、一際太い木があった。散歩中に彼女の方がその幹に近づいて息を呑んだ。友人がその視線の先を確認すると、撫で付けたような髪型の小人がいた。声を上げると、小人は木の反対側に回り込んで消えてしまった。

292

脇腹に梅型のぷっくりした発疹が出た。虫刺されか蕁麻疹(じんましん)かと思ったが、痒みがない。指先で探ると、幾つもできているようだ。服を脱いで家人に確かめてもらうと、脇腹から肩口までを、発疹が横断するように出ていた。子猫が歩いた足跡のようだった。今も時々出る。

293

マンションを訪ねてくれた友達が、真っ青な顔で入ってきた。どうしたのかと訊ねても、「悪いから」と言って話さない。二人の仲じゃないかと言うと、彼女は一階の管理人室に、口が大きくて歯を剥いた蛙のような人がいて、こっちを値踏みする目で見てきたと教えてくれた。

294

電車の中で見た光景。全身ピンク色の服に身を包んだ若い女性がシートに座っていた。そのスカートの裾から、黒い紐のようなものが垂れ下がっている。何かほつれているのかなと思ったが、よく見ると、鎌首を擡げる細い真っ黒な蛇だ。その蛇は目の前で床に落ちて消えた。

295

まだ小学生時代の話。小学校から戻ると、閉め切った部屋の中に、見知らぬ黒猫がいた。窓を開けて、「出てけ！」と声を荒らげても出ていこうとしない。むかっとして追いかけると、壁に駆け上がり、天井で逆さまになったまま暫く留まった後、逆さのまま悠々と窓から出ていった。

296

飼っていた黒猫が病死した後、暫くの間、居間の椅子の上に猫が丸まっている姿が家族に目撃されていた。電気を消した暗い部屋の中でも、黒猫が丸くなって寝る濃い影が分かった。猫は最後、母の夢の中に出てきて挨拶をした。それから居間に出ることはなくなった。

297

本家の仏間に泊まったときの話。電気を点けると、布団の上に白い蛇がとぐろを巻いていた。こちらに気付いて首を擡げたその先に頭はなく、ごつごつとした人の拳になっていた。それはこちらに向かって指を大きく開いた後、宙を掴むようにしてぎゅうと握って姿を消した。

298

夏の終わりの話。家の前を掃いていると、地面に転がる蝉がジジジと弱く羽を震わせた。掃いてしまうのも何なので、放っておいた。その夜、蝉が夢枕に立ち、「殺さずにいてくれて恩に切る。礼を置いておく」と言った。朝目が覚めると枕元に、女郎花(おみなえし)の花が一房転がっていた。

299

引っ越しの準備に、段ボールの箱を幾つも組み、整理しつつ荷造りを始めた。夜、トイレに起きると、口の開いた段ボールの間を、黒い球がぽーんぽーんと跳ねながら移動していた。これを連れていくのは嫌だと思い、翌日から段ボールを必要な分しか組まないようにした。

300

コインパーキングに車を入れたときに、何かを踏む感触がした。車体の下を覗いてみると、踏み板の下に猫の死骸が挟まっていた。嫌なものを見たなと思ったが、用事を済ませて戻ると、その猫が車の横で待っていて、頭を何度も下げながら立ち去った。やけに人間じみた顔の猫だった。

301

「まただわ」と呆れたように叔母が声を上げた。彼女の手にした赤ワインの瓶の中には、層になる程に死んだ小さな羽虫が浮いていた。「これで三度目なのよね」とため息を吐く。買ってくるときに幾ら注意していても、家に着くと虫が入っているのだという。

302

マンションの天井の壁紙が妙に膨らんできたので、上の階で雨漏りでもしているのではないかと業者を呼んだ。業者はその膨らみを触り、「何かありますね」と言って、カッターで切った。中からは猫か何かの動物の毛がばさばさと落ちてきた。壁には割れ目も染みもなかった。

303

アパートに一人でいると、時折玄関のドアから、ごとごと、ガチャガチャと音がする。ポスティングかと思っていたが、チラシが入っていないこともあり、不思議に思っていた。ある日、音がしたので確認しに行くと、毛むくじゃらの半透明の腕が郵便受けの内側を探っていた。

304

昭和三十年代の話だという。父親が街で配られていた紙マッチを受けとった。駅のホームで一服しようと、煙草をくわえてそのマッチを擦ったところ、炎の中に緑色の顔がゆらゆら揺れていた。だが彼の言うことには、彼自身全く動じることもなく、煙草に火を点けて吸ったという。

305

一人暮らしのマンションのベランダに枕を干して出かけた。だが、帰りが深夜になってしまったので、取り込んだときには冷たくなっていた。しかも何かゴワゴワしたものが枕の内側に入っている。何だろうと枕カバーを開いてみると、内側から大量の千切られたトンボの翅(はね)が出てきた。

306

バスを待っていると、雀が降りてきて、目の前で石畳をついばみ始めた。可愛いなと思って見ていると、急にコテンと倒れて、そのまま動かなくなった。あれ？　死んじゃった？　と驚いたが、その日は一日のうちに同じようなことが三度続いた。

307

部屋でネットをしていると、蜘蛛が一匹すっと降りてきた。蜘蛛を外に出そうと手を伸ばしかけて、何げなく天井を見ると、天井にびっしりと蜘蛛が張り付いていた。うわっと思って手元にあった箒で蜘蛛を払おうとしたが、その蜘蛛は箒が当たると煙のように消えていった。

308

あるとき泊まった旅館でトイレに行こうとすると、蛙が飛びついてきた。それも一匹ではなく、最初に跳んだのに釣られるように、何匹も跳びかかってくる。それらは次々と身体をすり抜けて消えた。逃げようと思ったが足が動かない。気付いたときには真っ暗な部屋に一人座っていた。

309

昔家族で暮らしていたアパートの部屋では、夜中に半分透けた鬼のような姿の化け物が出た。そこからは一年と経たずに引っ越した。数年後に母の知人から、件の部屋には幽霊が出るので、皆二年と居着かないという話を聞いた。両親も幽霊が原因で引っ越したと真顔で言っている。

310

ネットオークションで買ったドラム式の洗濯乾燥機を使い始めたが、洗濯物に猫の毛が付く。前の持ち主が猫を飼っていたのかと放っておいたが、次第に毛の量が増えてきた。ある日、洗濯機のドアを開けたら、中から猫が飛び出して何処かへ消えた。それ以来、毛は付かなくなった。

311

ある夜、寝ているとコツコツと小さくノックする音がする。不思議に思って音源を確認すると窓からのようだ。部屋は四階で窓にはベランダがなく、下は道路。怖がりの彼女が、慄きながらカーテンを捲ると、薄青い服を着た大量の小人が、虫のようにへばりついて、こちらを見ていた。

312

友人が子供の頃、家族中で彼だけに見える「あめんぼ」と呼ばれるお化けが家にいた。あめんぼは手足が異常に長く、床をするすると四つん這いで滑るように移動し、子供の彼は、それが大層好きだった。しかし、小学校に上がるぐらいにはもう家から消えてしまったという。

夜になると、勤務する水族館の大水槽のアクリルには、黒いヤモリのような影が出て、ちょろちょろと動いていると聞かされた。影はアクリルの内側にいて、水槽の中からも外からも、触ることができない。だが不思議と客前には現れないので、現状大きな問題になっていない。

忘年会の帰りに夜中の公園でうたた寝をしてしまった。そのとき、小柄な男から「このベンチは俺の席だが、別に寝たいなら貸してやるよ。でもあんた、死ぬよ」と言われて目が覚めた。「お前は何なんだ」と訊ねると、男は「俺は死に神だよ、帰ってから寝な」と答えて消えた。

試験勉強中の話。家鳴りがするので、天井の隅を見上げた。すると板張りの天井を、逆さまに歩いていく小さなおっさんの集団がいた。こやつらのせいかと腹が立ったので、手元の参考書を放り投げた。おっさん達は天井の四隅に散らばって消えたが、奴らは試験の度に現れる。

見晴らしの良い丘の上から、眼下に広がる団地を見ていると、ある棟の屋上に白い姿の変なものがいた。四つん這いになって、何度も何度もそのままの姿勢でジャンプしている。最初は風船のようなものかと思ったが、どうも実体がある動きだ。二メートルほどの体長だった。

317

パンツ一枚の四つん這いで風呂の床磨きをしていると、背中に「とん」と何かが乗っかった。天井から水滴でも降ったかと背に手を回すと、二本足で何かが立っている。慌てて立ち上がると背から落ち、「ぱしゃん」という音とともに、床の水と同化した。半透明の小人だった。

318

昭和三十年代の話。小学校の頃、猫屋敷と噂の廃屋に探検に行った三人が戻らず、騒ぎになった。二人は近所の洞窟で見つかったが、「猫が猫が」と繰り返すだけで話にならない。残りの一人が遠く離れた町で見つかったのは二日後のことで、猫が威嚇（いかく）するような声を放つのみだった。

319

夕方自転車で走っていると、足下をゆらりゆらりと巨大なサンショウウオのような形をした影がくねっていた。驚いて相当ペダルを漕いだが、巨大な影がゆっくりと追いかけてくる。必死に自転車を漕いでも振り払えず、その影はトンネルに入ったところでやっと消えた。

320

友人達と毎年行く小さな公園に、今年もお花見をしに行った。しかし、区画整理で公園自体がなくなっていた。残念だねと言っていると、空から薄桃色の花びらがはらりと舞った。えっと見回したが桜の木は見当たらない。はらりはらりと暫くの間、花が落ちるのは止まなかった。

321

毎年春になると、太腿に猫の肉球の形をした発疹が出る。梅の花の形でピンク色にぷっくり腫れる。一円玉より少し大きいが痒みはない。この発疹が出始めたのは、愛猫が亡くなった翌年からだ。発疹が出ている間は亡くなった愛猫があちら側から帰ってきていると信じている。

322

視える人から聞いた話。ある日、夜に金縛りに遭うと相談してきた友人の家に泊まりに行った。満面の笑顔で金縛りに遭う彼女の周囲には、大量のインコや鶏、兎が群がっている。友人は飼育係で動物を溺愛している。可愛がりすぎて憑いてきたのだろうと、放置して帰ったという。

323

駅のハンバーガーショップで指をしゃぶりながら食べる女性がいた。ちらちら見ていると、時々顔が犬になる。見間違いかと何度も見るが、その度に顔が変わる。食べ終わると、顔中を長い舌でべろべろ嘗めてから立ち上がった。尻には尾があったが、店を出る頃には消えていた。

324

夜、お花見の陣取りをしていた同僚二人が、ブルーシートで話をしていると、不意に周囲の音が遠くなった。何が起きているのかと周囲を見回すと、散った花びらが、くるくると一箇所に集まり、桜のつむじ風となって天に昇っていった。後で周囲に話しても信じてもらえなかった。

325

大学の授業に出ようと住宅街を歩いていると、ある家の二階の屋根に黒猫が座っていた。次の瞬間、猫はぐっと胴体を伸ばして、直接地上に降り立った。胴が長く伸びた異常な姿に唖然としたが、猫はそれに気付くとばつが悪そうに走り去った。断じて飛び降りたのではない。

326

もう二十年以上前の話になる。当時両親は仕事の関係でフランスで一年間を過ごしていた。その間に愛犬の容態が悪くなり、ついに亡くなってしまった。愛犬を看取ったその夜、突然両親から愛犬の死を確認する電話があった。両親揃って愛犬が別れの挨拶に来る夢を見たという。

327

昭和初期の話。家の近所にお地蔵さんが六体立っていた。ある夜、その前を通ると、普段と様子が違う。お地蔵さんがそれぞれもう一体のお地蔵さんを背負っていた。何者かが化かしてるなと、怒声を上げると、草を分ける音がして何かが逃げ去り、お地蔵さんは元の姿に戻った。

328

夜一人で県境の峠をバイクで走っていた。すると、どうも背後に気配がある。付かず離れずの距離で足音をさせて走ってくる。野犬かと思ってスピードを上げたが、相手は意に介さず追ってくる。背後を確認すると犬の頭部をした赤い目の二本足の怪物が走って追いかけてきていた。

自宅のマンションの話。窓のアルミサッシの下の部分に切り欠きがある。そこから、結露して下に落ちた水が外に出るようになっている。そのマンションは冬場になると結露が酷く、しかもベランダに真っ黒な人影が跪き、この切り欠きのところに長い舌を伸ばして溢れる水滴を嘗め取る。

知人の兄弟は、庭に来るカラスをベランダからエアガンで撃って遊んでいた。ある夜、彼が自室に戻ると、羽がぼろぼろのカラスが室内の天井付近に浮いていた。それは大声で鳴き、執拗に後を追いかけてきた。助けを求めようと兄の元に急いだが、兄も同様の目に遭っていた。

国道から一本入った道の奥に廃屋がある。敷地は広く木で覆われているが、珍しく荒らされていない。夜、肝試しなどで敷地に入ると、何処からか野犬が集まってきて取り囲まれるという。近隣の人は犬の鳴き声を聞くと「またか」とは思うが、実際には犬の姿など見たこともない。

夜、車で山道を急いでいると、急に狸が飛び出してきた。避けようとハンドルを切ったが轢いてしまった。それから夜といい昼といい、狸の影が道に飛び出してくる。急ブレーキを掛けても間に合わないが、衝撃すらない。余りに繰り返すのでお祓いに行ったが効果は芳しくない。

333

高層ビル街をピンク色の風船が飛んでいた。大人が手を伸ばせば届く程の高さを風に流されていく。歩みを止めて眺めていると、風の流れが変わったのか、不意にこちら側に近づいてきた。自分の頭の上に来て、ぎくりとした。浮いていたのは風船ではなく、固められた肉の塊だった。

334

知人は繰り返し同じ夢を見る。白い蛇が腹の上にとぐろを巻いている。それが臍（へそ）から身体に入り込み、脇腹や胸から出たり入ったりを繰り返す。その度に身体がゾクゾクする。そんな夢だという。ただその夢を見た朝は、毎度パジャマのボタンが何故か全部外れている。

335

高校時代の先輩が、変な色の垢が出るといって首筋を掻いた。爪の間に真っ赤な垢が溜まっていたが首に傷はない。風呂でよく洗っても出るという。その数日後、夜寝ていると飼い猫が背中に乗り、首を凄い勢いで引っ掻いた。幸い傷もなく、それ以来変な垢も出なくなった。

336

子供の頃に見たもの。軟質のプラスチックの蓋のような半透明の円形のものが、風に煽られてコロコロ転がっていく。追いかけていくと、風が止みそうになるとくるくると回転し、また風が吹くと煽られて進んでいく。最後は追いつけない程の速さになって、視界から消えた。

337

中学生の頃、洗面所で風呂上がりに髪を乾かしていると、小窓の前にあるティッシュケースから視線を感じた。最初は何も見えなかったが、何度か見返しているうちに朧げに見え始めた。じっと見ていると、スーツを着た小さな紳士が立っていた。その後一分程、目が合ったままだった。

338

深夜二時頃、近所の新築マンションの白く煌々と光るエントランスホールに「何か」が出る。それは白いプラスチック製のような身体で、一メートル程の高さ。漢字の「出」のようなポーズで、毎晩深夜にホールを動き回り、ガラスを内側から撫でている。

339

子供の頃、胴体が子供の腕ほどもある蛇が、じっとしていた。弟とどっちが頭だろうという話になった。兄が辿った先には尾があり、「こっち尻尾！」と叫ぶと、「こっちも尻尾！」と弟が返した。確認してもどちらも尾だ。その直後、二人を残して蛇は消えてしまった。

340

明け方、冷たい雷雨が吹きすさぶ強風の中をアルバイトに出かけるために急いでいると、人間の腕ほどもあるナメクジのようなものが、道の端にうようよとしていた。余りにも気持ち悪かったのでバイト先で話に出したが、そんなものいるはずないと一蹴されただけだった。

341

母と叔父は姉弟で妖精が見える。母はよく、庭の物干し竿に緑色の妖精が留まっていると言う。叔父は門の呼び鈴が鳴るので応対のために出ると、時折緑色の小さな人が門の前に沢山浮いているらしい。ただ、二人とも妖精の頭部は昆虫の頭部そっくりだと言っている。

342

夜中に警備員として立っていたときの話。隣にずっと、小さな動物の気配があった。時折にゃーんという鳴き声が聞こえたので心細くはなかった。だが交代のときに同僚から、「お前、あんなのに囲まれて怖くなかったのか？」と心配された。十四以上の猫の影だけが見えたそうだ。

343

ペットボトルのジャスミン茶をテーブルに置いて読書していた。コップに注ごうとボトルを見ると、向こう側に隠れるようにスーツを着た小さな男がいた。え、と思ってボトルをずらすと、後ろに隠れて移動する。ボトルを持ち上げたら慌ててテーブルから飛び降りて消えた。

344

腹を下して駅ビルのトイレに駆け込んだ。個室で脂汗を流しながら唸っていると、ドアがガタガタ揺れた。ノックし返したが、まだドアをガタガタ揺らす。だんだん怒りが込み上げてきたが、ドアの下から覗く爪先を見て血の気が引いた。覗いているのは緑色の蛙の足先だった。

満員電車で前の男の背中に真っ黒な百足（むかで）が張り付いていた。すぐに落ちたが寒気を感じたので次の駅で急いで電車を降りた。周囲にそれらしいモノはいなかったが、昼過ぎには、それが足下まで這い寄っていた。こちらを襲おうと首を擡げたその腹に、人の顔が連なって笑っていた。

第五章

346-448

乗り物にまつわる話

移動している際の怪異目撃譚は、意外と多い。電車の車内が代表的だが、自家用車を運転中でも、バイクに乗っているときにも、怪異は出没する。

あなたにも覚えはないだろうか。目の端に。

風切り音に混ざって。

346

終バスで自宅最寄りのバス停に向かっていると、少し離れた広場に盆踊りの櫓（やぐら）が組まれているのが見えた。やけに気になったので、歩いてそこまで戻った。櫓のどの柱にも白い炎が点いていた。炎はまるで熱くなく、周囲には誰もいない。その櫓は翌日には跡形もなく消えていた。

347

終電車に座って揺られていると、終点に近づくにつれ、次第に人が少なくなり、とうとう車内は自分一人になった。珍しいなと思いながら揺られていると、不意にカツカツカツというハイヒールの音が聞こえてきた。目の前を硬質な靴音だけが通り過ぎていった。

348

あるローカル線での話。列車が停車し、ボタンを押してドアを開けようとすると、中に人がすし詰めになっている。隣の車両を覗くと人がいない。隣の車両に移動して終点まで乗ったが、途中駅で降りた人の姿はなく、終点に着いたときも、ホームに降りたのは自分を含め数人だった。

349

朝、駅でバスに乗ろうと停留所へと歩いていくと、運転手の背後に、朱色のコートを着た、天井に頭が付く程、背の高い女が立っていた。嫌なものを感じて、料金を払うときに運転手の背後を覗き込んだが、誰もいない。車内では「でかい女いたよな」と学生達が話をしていた。

350

ある日電車に乳母車を押すお母さんと、その友人が乗ってきた。お母さんが友人と話している間、赤ん坊も、むにゃむにゃと喃語を喋っている。微笑ましく思って、その声を暫く聞いていると、だんだん声が低くなっていく。ついに「……なあ？」と中年男の声で話しかけられた。

351

新刊の怪談本を買った。読みかけだったので、通勤中に読もうと鞄の中に放り込む。電車に乗って席に座り、続きを読もうかと鞄の中に手を入れたが、先ほど確かに入れたはずの本が見当たらない。夜、帰宅して探しても見つからない。結局本は何処かに消えてしまったままだ。

352

よく使う路線バスで揺られていると、視界の隅を黒い影がちらちらと横切った。気になってそちらを見ても何もない。暫くしてふと気付くと、頭上の手摺りに黒い紐状のものが絡んでいた。先ほどはなかったはずのそれを見ていると、紐の腹に大小無数の目が開いてこちらを睨んだ。

353

ある日、なかなか上がらない踏切で、電車が通過するのを待っていると、普段と違い、のろのろと電車が通過していく。何かあったのかなと思っていると、ある車両の台車の周りに、ほの青く光る火の玉がまとわりついている。火の玉は人の顔に見えた。

帰宅途中での話。電車のベンチシートの端に姿勢良く座る女性の対面に座った。その人がピタッと姿勢を正したまま、全く動かないのも気になったが、そちらに目をやる度に、だんだん年老いていく。最初は気のせいだと思ったが、乗換駅で降りる頃には老婆になっていた。

以前電車で移動中に見た光景。隣の席で寝ている女子高生の髪の毛が、一束一束ゆっくり持ち上がっていく。不思議と誰もそれに気付いていない。髪のかなりの部分が逆立っていたが、ターミナル駅に着き、その高校生が目覚めて立ち上がった瞬間に、全てばさりと落ちた。

高校生の夏休みの話。ある日、電車に乗って何げなく吊革を握ると、強い痛みを感じた。強い冷感による痛みだった。声を上げて吊革から手を離そうとしても、くっついて離れない。暫くすると手が離れたが、その後もぽたぽたと結露した水滴が吊革から滴っていた。

スーツ姿の男が、電車の車窓から外をじっと睨んでいた。不思議に思って気にしていると、不意に男の膝がカクンと落ちた。ばったりとその場に倒れた男の様子を窺っていると、男はバネじかけのように起き上がり、大声で何かを叫びながら土下座を始めた。日本語ではなかった。

358

真昼間に、電車に乗って席に座ると、対面の長椅子の下に、灰色のジャンパーを着た貧相な男が嵌まっていた。幾ら何でもおかしいだろうと思ったが、椅子には女性二人が事もなげに座っている。男はただ無表情にそこに寝転がっていて、誰も気にしていないのが嫌だった。

359

学生時代に、朝の満員電車の中で、鞄が急に重くなったことがある。乗換駅のホームで鞄を開けて確認してみると、何故か鞄の中に大根が入っていた。大根を買った覚えもないし、ずっと手に持っている鞄に、突っ込まれた覚えもない。大いに戸惑ったが、大根は一日持ち歩いた。

360

視える人から聞いた話。ある朝、女性専用車両の奥の方に、中年男性が一人困った顔をして立っていた。周囲はまるで気にしていない様子なので、もしかしたらと思って観察していると、やはり幽霊らしい。彼は終点に着いても一点を凝視したまま、同じ困った顔で立ち続けていた。

361

通学に使っている私鉄の車内に「出る」という女の子は、濃紺の制服に可愛いらしいピンクのバックパックを背負っているという。そのバックパックには、色とりどりの大量のお守りがぶら下がっている。真昼間に小学生が車内にいるので不思議に思って声を掛けるとすうっと消える。

362

電車で空いている座席はないかと見回すと、少し離れたところに、包帯でぐるぐる巻きの人が座っていた。ぎょっとしたが、周囲はその包帯の人が見えていないようだ。ああ、あれはお化けなんだと納得した。駅に着き、中年女性が包帯の人に重なるように座った直後に見えなくなった。

363

電車で待ち合わせに急いでいたときの話。焦っても仕方ないと、自宅の最寄り駅を出て文庫本に目を落とした。次の駅でドアが開き、アナウンスが目的の駅の名を告げた。えっと思って目を開け、開いたドアから飛び降りた。時計を確認したが、時間はほとんど経っていなかった。

364

電車の中で小柄な老婦人が財布の中身をこぼした。財布からは、あり得ない量のお札がばさばさと落ちたが、老婦人は何故かそれを拾わずに財布をしまった。近くに立つサラリーマン達も、足下に広がったお札を拾わない。気にはなったが、乗り換えのために次の駅で降りた。

365

友人と乗った地下鉄の車内が、硫黄のような臭いに満ちていた。口臭っぽいなと感じて気持ちが悪くなる。そのとき友人が、「あっちにさ、こっち向かってでかい口開けてる、緑色の変なのがいるんだけど、あれ何かなあ」と言った。二人で逃げるようにして次の駅で降りた。

366

友人が中古車を買ったというので見に行った。だが、その車の助手席の窓に、べったりと広がっている女の顔が見えた。友人からは何度かドライブに誘われたが、それが気になって毎回遠慮していた。友人はふた月と経たずに事故を起こしてムチ打ちになり、その車は廃車になった。

367

早朝、通勤列車に乗っていると、隣に平行して違う路線の列車が走っていく。その窓に、自分の乗る列車が映っている。その鏡写しの車両の窓の下に、白い妙なものがぶら下がっていた。よく見ると、窓の下の窪みに指を引っかける形で、肘までの腕が何本もぶら下がっていた。

368

山陽地方のある路線での話。もうすぐ駅というところで列車が急停止した。「お客様へお知らせいたします。ただいま緊急停車いたしましたが、問題ありませんでしたので、運転を再開いたします」と車掌が言った。一番前の車両では、「確かに飛び込んだ！」と数人が騒いでいた。

369

始発電車のドアが開いた。車内に入ると、シートに男が寝ていた。男はピタッと身体に腕を付けた姿勢で横になり、七人掛けのシート一つを占領していた。「でかい人もいるもんだなあ」と思っていると、入ってきた他の乗客が男の上に座った。その瞬間に男は消えた。

370

通勤中の話。先頭から二両目のドアから降りると、一人の青年が改札と反対の方向に走っていく。人に当たりそうになっても、誰も青年のことを気にしない。ああ、またお化けかと、気にしないことにした。ただ、青年はホームの端まで走っていくと、そのまま飛び降りた。

371

昼間の人の少ない電車で立っていると、肩を軽くトントンと叩かれた。振り返ったが誰もいない。気のせいかと思ったが、暫くすると、さっきより強く叩かれた。だが見回しても誰もいない。そして目的の駅に着く直前、ドンドンと痛みを感じる程の強さで背中を叩かれた。

372

電車で座った座席の背と座面の隙間に、ストレート型の携帯電話が挟まっていた。引っぱり出すと、塗装はほとんど剥げており。型もかなり古い。電源キーを長押しすると、掌の上で筐体(きょうたい)が撓(しな)った。えっと指を離すと、最中(もなか)の皮のようにぼろぼろ崩れ出し、粉々になってしまった。

373

電車のドア脇の席に、半透明のカバーが付けられていた。就職活動で疲れていたので、そのカバーに寄り掛かって寝てしまった。目を覚ますとドア側から視線を感じる。目をやると、半透明のカバーに歪んだ顔が押し付けられていた。驚いて立ち上がったがドア側には誰もいなかった。

374

冬の日曜日、終電近くの車内で、規則正しく吊革が揺れていた。ただ、目の端に不思議な動きを感じたのでじっと見ていると、吊革の一つが次第に大きく揺れ始めた。他とは明らかに異なるブランコのような動きで、最後には一際大きく揺れると、基部の横棒に絡み付いた。

375

年末、帰省のために始発列車に乗ってぼうっと窓の外を見ていると、トンネルに入った。自分の横にいないはずの痩せこけた女が、両手をバンザイするように上げた姿で窓に映っていた。気のせいだと思っても、次のトンネルでも映る。乗り換え駅まで、女はずっと付いてきた。

376

夏の話。よく冷房の効いた電車で音楽を聴いていた。すると天井からゴムまりのようなものがストンと落ちてきた。一度床に跳ね返ったそれは、空中に留まり、歯を剥き出した。次の瞬間、その口からげふうという音とともに悪臭が放たれて、車内は強烈なニンニク臭に満たされた。

377

満員電車のドアが開き、中から人が雪崩(なだれ)出た。先頭の青年が突っ伏し、背中をスーツ姿の男女が気にもせず踏みつけていく。青年は始終ニコニコ笑いながら背中を踏まれている。青年を避けるようにして電車に乗り込んだところで、ドアが閉まった。青年がどうなったかは知らない。

378

列車の座席で目を閉じていると、隣に誰かが座る気配を感じた。薄目を開けたが誰もいない。気のせいかとまた目を閉じると、今度は前に誰かが立った。だが確認しても誰もいない。目を閉じていると、一人また一人と気配が増えていく。次の駅でドアが開くと気配は全て消えた。

379

列車の車内の人口密度が高いのにも拘らず、何故か人が車両の端にしか人が乗っていない。ガラガラの方に歩いていくと、だんだん温度が下がり、次第に気分も悪くなってくる。「ああ、何かいるな」と思って引き返した。慣れてくると黒い人が集団でそこに乗っているのが見えた。

380

電車で揺られていると、「あの人、何で赤ちゃんをあんなふうに背負ってんだろ」と話す声が聞こえた。話者の視線の先には、赤ん坊を背中に担いだ背広姿の中年男性が吊革に掴まっていた。揺られても落ちない赤子に紐なども付いている様子はなく、男性も気にしていない風だった。

381

中央線沿いのある駅での話。早朝に商店街の細いアーケードを歩いていると、まるで蜘蛛人間のような何かが、天井に張り付いていた。細くて長い手足が身体から八本伸びている。それは細い手足を梁に引っかけながら、ゆっくりゆっくりアーケードの天井を移動していた。

382

過去に仕事で三時間程電車に揺られることがあった。最寄り駅で席に座ると、向かいのドアの脇に、絡まり合った毛髪の束が落ちていた。そのときは気にしなかったが、目的地の駅に着く頃には、猫か何かが寝ているのではないかというほどの量の、絡み合った髪の毛に成長していた。

383

高校性の頃に見た不思議な光景。自転車に乗った女の子が、後ろ向きで何かに引っぱられるように移動していた。両足は前に突き出し、完全に地面から離れている。声を上げて号泣していたが、転ぶ訳でもなく、するする移動していく。そのうち角を曲がって見えなくなった。

384

叔母が、ある日電動アシスト自転車に乗っていると、不意にペダルが重くなり、ついに動かなくなった。交差点前で立ち往生していると、信号無視をしたトラックが猛スピードで交差点に突っ込んだ。命を救われたと叔母は言ったが、叔父は「複雑な物程、隙がある」と返した。

385

酔っているのか、歩道を大きく蛇行しながら、ベルをちりちりと盛大に鳴らした自転車が通り過ぎていく。無法な振る舞いに憤りながら見送ると、自転車の荷台には、正座をした着物姿の老婆が後ろ向きに乗っていた。唖然としていると、老婆からぺこりと頭を下げられてしまった。

386

あるカップルが伊豆へ旅行に行った。山道のトンネルに入る直前に、男の方が気分の悪さを訴え、「もう駄目だ」と言い出した。「ここにここに」と窓の辺りを指差し、ガタガタ震える。トンネルから出た瞬間に正気に返ったが、「何かいたんだよ、でも……分かんない」と呟いた。

387

ある山道には、黒い無灯火のスポーツカーが出るという。助手席に黄色い熊の巨大なぬいぐるみを置いているが、運転席は空らしい。それは走っている車の真後ろに付けて、暫く煽った後にカーブで右側から抜いて消える。抜かれるときに助手席の熊と目が合うという。

388

中古車屋に勤める知人の話。ある日、白いセダン型の車の下取りをした。当日はもう遅かったので、翌朝出社して車内の点検を開始した。順調にチェックを行い、次にサンルーフを開閉しようと天井を見上げた。白い鳥の糞が、サンルーフの車内側の中央にへばりついていた。

389

父が、車をバックで出そうとしたとき、後ろの歩道に中年男性が立っていた。危ない、と父に声を掛けたが、誰もいないよと言われた。後ろを振り返って確認すると、本当に誰もいなかった。次に前を向くと、車庫の中でその中年男性がにやにやしていた。父には見えないようだった。

390

ある日、店で買い物を済ませて車まで戻ると、愛車の隣に駐まった大きな車の向こう側に、男の頭が突き出しているのが見えた。大きな人は大きな車に乗るんだなと思っていると、その車が動きだした。不思議に思っていると、男の首から上だけが空中に浮かんでいた。

391

引っ越しでレンタカーの軽トラを借りた。台車を積んで移動していると、突然荷台から、バタンと大きな音が響いた。固定している台車が倒れたかと、コンビニの駐車場に止めてチェックしたが、そもそも台車は荷台に固定されていた。だがその後も台車の倒れる音が何度も続いた。

392

運転中、先行する車がピカピカのステンレスの扉のトラックになった。自分の運転する車が映っていた。あれ？ 映っている自分の車のナンバーが違う。運転している自分の服が違う。そのとき、扉の中の車がウィンカーを出して曲がろうとした。車が引っぱられ、事故る所だった。

393

街道を走っていると、車のトランクからオルゴールの音が聞こえてきた。音源は何かと思うと同時に、酷い眠気に襲われた。ああこれは駄目だとコンビニの駐車場に入れ、一休みしようとエンジンを切ったそのとき、助手席から酷い舌打ちの音が聞こえ、顔に唾を吐きかけられた。

394

三列シートのレンタカー一台に五人相乗りで都内から大阪まで遊びに行ったときの話。運転席からバックミラーを覗くと、荷物を積んだ最後部座席に、茶色の紙袋を被った男が座っているのが見えた。ふざけるなよと友人達に声を掛けたが、同乗の四人はきょとんとした顔をしていた。

395

車でトンネルを走行中、「トンネルの中に雪って降らないよな」と運転席の上司が言った。「当たり前じゃないですか」と答えると、彼は深刻な顔で、「後ろの窓見てくれ」と続けた。振り返ると、リアウィンドウにうっすらと雪が積もり、しかも少しずつ白さが増していくのが見えた。

396

背後から追いかけてくる軽のバンが気になった。バックミラー越しに様子を窺うと、運転席の後ろに六、七人の影が見える。その違和感に、路肩に車を寄せてやり過ごした。宅配業者らしく、バンの後部には荷物が一杯に積まれていたが、人間は運転手一人しか乗っていなかった。

397

明治通りを運転中に、「前のタクシー、変だよね」と友人が訊ねてきた。見ると、後部座席の客らしき姿が、拳を振り上げている。その身体を透けて運転手の頭が見える。右折レーンでタクシーを追い抜くときに確認したが、黒い影が運転手にのしかかるようにして殴り掛かっていた。

398

知人の旦那さんは軽自動車で自損事故を起こして亡くなった。原因は運転中のながらスマホだった。彼は今でも軽自動車に乗って自宅の車庫に戻ってくる。エンジン音が止まり、玄関まで歩いてくる音がする。だが彼がドアを開けて入ってくることはないという。

399

夜中、高速道路を走っていると、急にラジオの電源が入った。最初はノイズが聞こえていたが、次第に集団でお坊さんがお経を唱えている声が流れてきた。ナレーションもなくずっと流れているので、変なラジオだなぁと思い、電源ボタンを押すと、ハイウェイラジオが流れ始めた。

400

友人達と車を連ねてのツーリング中、前を行く友人の車がハザードを出して停まったので、こちらも車を停めた。前の車のドアが開くと同時に、鳥が羽ばたいて飛び去った。何があったのかと駆け寄って話を訊くと、閉め切った車内に突然鳩が現れたから停まったのだと言われた。

401

車で狭い路地を走っていると、前を二人乗りの自転車が走っていく。注意しながら近づいていくと、重たそうにペダルを漕ぐおばさんの背中に、真っ黒い姿の人がおぶさっていた。追い越した後でドアミラーで確認すると、その黒い人はおばさんの首を両手で絞めていた。

運送業者の知人は〈視える〉人だ。仕事中、稀に大きな国道でお化けに出くわすことがある。そのときは本当に寒気がするという。相手を踏んで大丈夫かどうか、踏むまで区別が付かないからだ。幸い今まで出会ったものは、全て踏んでも大丈夫なものだったという。

運転中、ミラーに無灯火の黒いスポーツカーが映った。いつの間にかすぐ後ろで煽っている。助手席の同僚が、「先刻から後ろ気にしてますね」と言った。「煽られてんだよ」「何もいませんよ」その声に振り返ると、車影はなかったが、直後に衝撃があり、ガードレールを擦ってしまった。

運転中に雨音がした。ああ降ってきたかと思ったが、フロントガラスには水滴も着いていない。だが、助手席の窓ガラスを見て驚いた。大粒の雨が叩いている。音はそこからしていた。その雨は、コンビニに駐めて外から確認するまで降り続いていた。車体がそちら側だけ濡れていた。

高速道路で追い越し車線を走行していると、バックミラーに、猛スピードで突っ込んでくる車が見えた。走行車線に戻ってやり過ごしたが、その車は、自分の運転する車と、車種もボディの色もナンバーまでもが同じだった。あの車に誰が乗っていたのかは、今でも気になっている。

406

高速道路を運転中、前を走る車の窓から、腕が水平よりやや下に向けて、まっすぐ伸びていた。

「危ないよなあ」と車内で話していると、その車の速度が落ちた。慌てて追い越し車線に移動した。抜きがけに見ると窓は閉まっており、運転手は両手でハンドルを握っていた。

407

高速道路を運転中、前方の乗用車がおかしな動きをした。その直後、バーストしたタイヤが大きな蝙蝠（こうもり）のようにフロントに張り付いた。心臓が止まるような思いでブレーキを踏んだ。だが次の瞬間、視界を覆ったタイヤは跡形もなく消え、件の乗用車もいなくなってしまった。

408

知り合いの夫婦が旅先で喧嘩になった。助手席に乗った奥さんが、雪の降る高速道路の路肩を、老人が古い自転車のペダルをゆっくり漕いでいるのを見たと言ったからだ。旦那さんはそれを聞いて「そんな馬鹿なことがあるか」と返したが、奥さんは譲らない。それで喧嘩になった。

409

昭和の頃の話。母親が公衆電話で話をしている間、少し離れた駐車場で待っていた。すると、駐車場に止まっていた車に、老夫婦が乗り込んで走りだした。何げなく見ていると、突然その車が崖に落ちた。救急車が呼ばれ、その車の中を確認したが、車内には誰もいなかったと聞いた。

410

ある廃屋で、知り合いが友達と肝試しをした。だが強い視線を感じ、何かが近づいてくる音がしたので慌てて車まで走って戻った。エンジンを掛けたがハンドルを握る両腕が痺れて動かない。ルームミラーに白い姿が映った。友達にハンドルを任せ、二人羽織で運転して逃げた。

411

駅のホームから改札階に上がろうと、エレベータに乗った。ドアが閉まる直前に、茶色い帽子に杖を突いた老人が、「どうもすいません」と乗り込んで背後に回った。改札階では乗ったのと反対側のドアが開いた。振り返ると、エレベータには自分以外の誰も乗っていなかった。

412

ある駅ビルによく寄る本屋がある。ある夜、閉店間際に寄った帰りにエレベータに乗ると、三人しか乗っていないのに、途中の階から重量オーバーのブザーが鳴り始めた。一階で三人が降りてもまだ鳴り続けている。故障かと思った瞬間、足下でパンと音が響いて、ブザーが止んだ。

413

信号待ちでブレーキを踏んでいると、前の車のリアガラスから老婆が飛び出し、自分の車を突き抜けて、後ろの車に飛び込んでいった。直後、後ろの車がゆっくり近寄ってきてぶつかった。現場検証中に「婆ぁが」と言っているのを見て、「ああ、やはり」と納得した。

414

真冬の夜中に、自転車で凍てつく道を走っていた。気付くと道の前方に、長い黒髪の女性が立っている。こんな時間に何だろうと思った瞬間、ぞっとした。上半身が白いノースリーブ一枚だった。しかも横を通過するときに笑い声が聞こえた。その笑い声は暫く追いかけてきた。

415

たまたま乗ったバスの最後部のシートにカップルが座っていた。二人寄り添いながら寝ている。女は黒尽くめの格好だ。男はグレーの上着を着て女の肩に手を回し、もう片方の手に携帯を握っている。しかしよく見ると、二人の太腿の間に薄青い袖の手が二本挟まっていた。

416

彼女と一緒に乗ったバスは妙に黴臭かった。バス停を二つ過ぎた頃、「次で降りていい？」と彼女が言った。まだ目的地まで暫くあるが、気分が悪いのかなと思い、次のバス停で降りた。彼女はバスを見送り、「今のバス、天井から白い手が一杯下がってた」と青い顔をして言った。

417

都営バスに乗っているときの体験。あるバス停に停車して運転手がドアを開けたが誰も乗ってこない。だが、運転手はそこにいる誰かと話をしている。ただ、相手の姿が見えない。焦れたようにドアが閉まって発車した。友人数名にも、運転手が話をしている相手が見えていなかった。

418

都内の大学に通う学生から聞いた話。バスに乗っていると、車窓のすぐ外に、スーツ姿の男の姿が映っていた。だが、顔は窓よりも上に出ていて見ることができない。怖くて下を覗くことはできなかったが、どう考えてもバスの横に男が浮いてバスと同じ速度で移動していたとのこと。

419

普段使わないバスに乗って会社に行こうとすると、車内の人がやけに少なく、誰も喋ってもいないのに、妙にざわついた感じがする。途中で先輩が乗ってきた。会社の前で二人は降りて「今のバス変な感じでしたね」と言うと、先輩が低い声で「声出すな。付いてきてる」と言った。

420

友達と待ち合わせをしていると、上階に続く人感センサー式のエスカレーターが急に通常の速度に戻った。誰も通っていないのに不思議だなと思い、エスカレーターに近寄ってみると、その周辺だけ尿を撒いたような厭な臭いがした。気にはなったが友人が来たのでそのまま立ち去った。

421

いつも使うエスカレーターが止まっていた。人感センサーになったのかと近づいてみても動かない。仕方なく歩いて上がる。だがその先の光景に違和感があった。繁華街なのに人がいない。建物の中にもいない。変だと思って階段を使って下ると、エスカレーターは普通に動いていた。

422

帰ってきてエレベータに乗った。子供がいたので「乗らないの？」と声を掛けたが首を振る。ドアが閉まり、箱が上昇する。二階にあの子がいた。三階にもまたいた。四階にもいた。五階。目的階だ。子供はいなかった。ほっとした。だが、部屋の前には子供の首だけが転がっていた。

423

深夜、会社から帰宅すると、マンションの一階に停まっているエレベータの中から、何か金属同士をぶつけ合うような音が小さく響いている。同時にガタンガタンとエレベータの箱が揺れる音もする。子供が中で悪戯してるのかと思いながらドアを開けたが、誰もいなかった。

424

地下階からエレベータに乗ろうとすると、既に乗っていた老婆が「何階ですか？」と訊く。一階ですと答えると、ボタンを押してくれた。「私は十回目なんですよ」と老婆が言うので、ボケているのかと手を引きながら一階で一緒に降りた。すると老婆はそのまま消えてしまった。

425

会社の入っているフロアでエレベータを待っていた。扉が開くと、中にはぎっしりと黒コートを着た男達が詰まっていた。男達は皆白人だ。誰も一言も発さぬまま扉が閉まった。その直後、再び扉が開いた。ボタンでも押し間違えたのかと思ったが、ドアの中には、誰もいなかった。

426

自転車で深夜の街道を走っていると、いつも使っている道なのに、いつまで走っても知った場所に出ない。交通量の多い道なのに車も通らない。怖くなって信号の下でじっと待つ。随分長い間待たされたが、信号が変わった瞬間に、いつもの大通りの風景に戻った。

427

バイト先の居酒屋が入っているビルは「出る」。特にエレベータには女がいる。ある夜、知り合いがバイトの帰りにエレベータで化粧の状態を確認しようとコンパクトを取り出した。コンパクトを広げて覗き込んだ瞬間、鏡が前触れなくピシリと真っ二つに割れた。鏡の端に女がいた。

428

ある夏の夕方、サンルーフを開けたまま車内でうたた寝をしていると、上の方から「今から行くぞ」と声が聞こえた。上半身を起こして、サンルーフの方を見ると、凄い速度で灰色の影が幾つも降ってきた。降ってくる度に車の天井でバサリと音を立てて消えていった。

429

雨の夜、バスの窓ガラスに目をやると、水滴で曇ってはいるが何処か変だ。手で拭くと、外側に脂でにじったような跡が付いている。それは人間の親指よりも小さな手の跡だった。悪戯かと思ったが、停留所でバスを降りてよく見ると、バスの側面一面にぺたぺたと無数に付いていた。

430

橋を車で渡ろうとして渋滞に引っかかった。外を見ると、渡っている橋に並んで、古い橋の橋脚が残されている。前方に視線を戻すときに、川の真ん中の橋脚の上に、子供が膝を抱えて座っているのが見えた。子供とは暫く目が合ったが、車が進んだのでそれきりだという。

431

高速道路のサービスエリアで寝ていたときの話。コンコンと軽く窓を叩く音がした。ん？と思って頭を上げたが、特に誰かが立っている訳でもなく、気のせいだと寝直すことにした。その瞬間バチバチバチバチッと無数の掌が四方の窓ガラスに音を立てて張り付いた。

432

山梨県のある山道での話。夜に自転車で峠を越えようとしていた。ヘッドランプの光の中に、一瞬何か場違いなものが見えた。倒れた老婆だ。横を通過すると、老婆はばたんばたんと転がりながら坂を追いかけてきた。頂上まで思い切り漕ぎ、下り坂でも漕いでようやっと振り切った。

433

神社に二年参りに行く途中のトンネルでのこと。普段通り、抜けようとしたら、トンネルの壁に灯が点る入り口があった。何だろうと思って覗くと、赤い鳥居が連なって奥に延びている。興味を持ったが、友人との約束があったので通り過ぎた。帰りにはもうなかった。

434

中学の頃、近所で友人とサイクリングをしていると、友人が「あの電話ボックスに首なしの人がいた！」と騒ぎだした。戻ってみても誰もいない。友人と二人して見間違いだということにして帰宅した。翌日学校でその話をしたら、その電話ボックスの首なし幽霊は有名な噂だった。

435

夏前から借りている駐車場での話。契約している枠の真向かいには軽自動車が駐まっている。炎天下、その車のフロントに広げられたアルミ張りの日除けの下から、老婆が顔を覗かせる。近寄って中を確認しても、老婆はいない。今年の夏は昼夜問わず何度も見ている。

436

峠道を攻める走り屋の話。ある週末、いつもの様に峠を攻めていると、傷だらけのガードレールの下から血だらけの顔が覗いて手招きをしていた。人が立てる場所ではなく、この世のものではないことはすぐに理解した。以来、そのコーナーだけはゆっくり通り過ぎることにしている。

437

駐車場に置いてある車のタイヤが、四輪とも潰れていた。パンクしたかと近寄ると、車内がおかしい。ペットボトルなどが浮いている。水が天井付近まで満ちていた。その車にはサンルームもないし、前日は雨も降っていなかった。買い物に行って戻ってくると、元に戻っていた。

438

大学時代を京都で過ごした友人が教えてくれた話。夜中に研究室から寮に帰る途中で、巨大な重機にも似た車両が、お供の者をずらりと従えて、ゆっくりゆっくりと京都市中を移動してるのを見たという。お供の者も全員真っ黒で、車も真っ黒、信じられない程ゆっくり移動していた。

439

駅でエスカレーターに乗ろうとしたとき、赤いレインコートを被った女が、上から歩いてきた。踏み出せずにこれ上りだったよな、と足下を確認すると、やはりステップは上に向かって動いていく。女は滑るようにエスカレーターを降りてきた、すれ違うと、地上に着く前に消えた。

440

学校帰りに自転車で踏切を渡っているときのこと。中年の男性が線路上を走って、飛び掛かってきた。驚いて避けようとしたが、周囲には誰もいない。首を捻りながら帰宅して、母親にそのことを話すと、「あの踏切におじさんが出るのは昔からなのよ」と当たり前のように言われた。

441

深夜、先輩と車で高速道路を走っていた。先を走る先輩が急に減速し、インターチェンジに下りていく。不具合でもあったのかと着いていくと、インター前の広場に入って停まった。先輩は車から降りると辺りを見回し、「先導のパトカー、一体何処にいった?」と訊いてきた。

442

三十代の会社員から聞いた話。ある夜、仕事を終えて自宅のマンションに戻った。シャワーも浴びて寝室に行くと、天井から無数の吊革が垂れていた。しかもその大部分には腕がぶら下がって揺れている。その日は居間のソファで休んだ。今、彼は自転車で通勤しているという。

443

年末、仕事納めをして自宅のあるマンションに帰り着いた。エレベータを呼ぼうとして異変に気付いた。屋根がない。空を見上げると、冬の夜空が広がっていた。呆気に取られていると、空の彼方から何かが落ちてきた。記憶が途切れた。次に気付いたときには年が明けていた。

444

マンションの一階でエレベータに乗り、ドアを閉めようとすると、エントランスホールの自動ドアの開く音がした。誰かが帰ってきたのかと「開」ボタンを押して待つ。だがエントランスのドアが閉じる音とともに、やけに速い足音だけが目前を通り過ぎていった。

445

帰宅中に満員電車で寝ていたが、不意に目が覚めた。目前に下半身を露出した中年男性が、吊革にぶら下がってぶるんぶるんと揺れていた。焦って席から抜け出たが、男性の姿はなく、しかし満員電車なのにその周囲には輪を作るように人がいなかったのが不思議だという。

446

雨が降る中、一人の女性がタクシーに乗ってきた。彼女は「小平まで」と言うと、寝息を立て始めた。暫くして「お客さん、どの辺ですか」と訊くと、目を開けて小さく「牛」と言った。聞き返すと、「牛女の住む家です。知りませんか」という。女性を駅に降ろして逃げたという。

447

妻の友人は猫を異常に怖がる。昔、誤って車で猫を轢き、それからひと月と経たずに、立て続けにタイヤが三回パンクした。その後、友人夫婦を車に乗せたときに、その奥さんから「この車に猫がいるわよ」と言われた。ぞっとしてお祓いを受けに行った。それから猫が怖いという。

448

自転車で走っていると、チリンチリンとハンドルのベルが音を立てた。何か当たってるのかと、自転車を停めて確認しても何もない。もう一度走りだすと、やはりベルから音が響く。夜だし迷惑なので、手で押さえて走り出した。それでもチリンチリンと音が響いて背筋が凍った。

第六章

449-543

駅・店舗・人の集まる場所に関する話

実話怪談には、多くの場合類話が存在する。この本に語られる体験は、多くの場合他の誰かも似たようなことを体験している話ばかりだ。

怪異とは、ロシアンルーレットのようなものので、それをもたらす側からすれば、誰が体験してもいいのだ。

449

バイト先のカラオケ屋は「出る」。霊感のあるアルバイトが「22」という部屋に入ったときに、「この部屋はあかん」と断言した。また来店客からも「22はやめてください」と言われたり、22に入ったお客さんから「部屋を変えてください」とクレームが入ることが続いている。

450

終電を待っている島型ホームに、車内の電気の消えた回送列車が停まっていた。窓から覗き込んでみると、男が床に転がっている。「残された人がいるぞ」と駅員に伝えると、彼は窓から覗き込み、「先ほど全員降車を確認してあります。見間違いです」と目を合わさずに答えた。

451

帰宅時のラッシュで、ドアに押し付けられていた。駅でドアが開いたので、一旦降りて人波を避けようとした瞬間、身体が硬直した。ホームに、足首程の背の子供のような黒い影が六体、手を繋いでドアを囲っていた。だが人々に押されて、その影を踏み散らしてホームに降りた。

452

家族で遊園地に併設されたホテルに泊まった。大きな部屋の窓に踊る人達が映っていたが、親には見えないようだった。その夜、暗いリビングにあるテレビのスイッチが入って、鼻血を出した女の人や、タキシードを着た男の人とウェディングドレスの女の人が踊り続けていた。

453

平成の最後、神奈川県海老名市でのこと。空中に灰色の大きくて四角い物体が浮いていた。その場に一緒にいた友人も、周囲の大人も、その場にいた全員がぽかんと空を見ていたので、勘違いではないだろう。それは十五分ほど空中に止まっていたが、不意に消えてしまった。

454

病院で仕事中に、視界の上にもやもやしたものが浮いている。同僚に「ここに何かある？」と問うと、同僚は、じっと顔を見た後に、「目を瞑って」と言った。その言葉に従うと、彼女はパンパンと二度柏手を打った。「もう大丈夫」の言葉に目を開くと、もやもやは消えていた。

455

ある古書店は、本棚の最上段を全て開けている。夜中に子供の霊が棚に手を掛けて、左右に移動するからだ。今まで何度か最上段を本で埋めたが、朝には本棚から本が全て落ちていたので諦めたらしい。掃除の際に最上段を覗くと、埃の上に沢山の指先の跡が残っていたという。

456

友人は一人旅が趣味だ。ある夏、山奥のローカル線の駅舎で夜を明かすことがあった。山の中は虫の声が溢れ、風情があるなと思いながら横になっていると、「ぅわあ！」と女の叫び声がする。何事かと起きだしてホームから周囲を窺うが、何もない。それが朝までに数度繰り返された。

457

初夏の日曜日に列車に乗っていると、ある駅の向かいのホームの椅子に、高校生らしい少女が座っていた。私服に編み込んだ髪、伏し目がちな顔の口元が黒いもので隠れていた。えっと思い、もう一度見返すと、少女の口から、はためく長い黒い布が吐き出されていた。

458

池袋駅北口から出ると、連れの女性が、黙ったまま高いビルの屋上に視線をやり、そのまま地上まで視線を動かし、またビルの屋上に目をやるということを数度繰り返した。どうしたのか訊くと、「飛び降りるの繰り返してる」と呟いた。地上に落ちるとすぐに屋上に立つのだという。

459

高校生の頃、横浜のとある駅の天井に、何かが這い回っているのが見えた。その駅の天井は、波形の青い樹脂製の板で、上に何かあると影が透けて見える。そのときの影は、普通の大人の倍ぐらいあった。かなりの速度で屋根の上をうろうろしていたが、足音などは聞こえなかった。

460

棚卸し作業の途中で、何度も商品が落ちる場所があるという話を聞いた。そこに行くと確かに床に商品が転がっている。拾い上げて、棚の商品を一旦全て取り除くと、その奥に男の顔があった。手袋をした手で顔を何度か殴ってから商品を入れ直すと、もう落ちることはなくなった。

461

友人が初産のときの話。入院中、小さなお婆さんの気配があった。退院して家に戻っても、その気配が消えない。だが子供が生まれて一週間でその気配が消えた。調べてみると産神様らしい。慌てて普段行くこともなかった神社に詣でた。そこでお婆さんと同じ気配を感じたという。

462

真夜中に会社で仕事をしていると、耳の辺りを爪で摘まれる。耳たぶや耳の上端、時々耳の穴の中。ずっと気のせいだろうと思っていたが、最近細い腕が視界の端に見えるようになってきて怖くなった。思い返すと、今の仕事場に転職してから変なことが続いている気がする。

463

神奈川県の大船駅近くの予備校での話。授業が終わり、教室のある三階から一階に階段で下りていくと、そこはまた三階だった。首を傾げながら、また一階まで下りると、また三階。焦りながら五回ぐらい繰り返した。友達に声を掛けられて、やっとループは止まったという。

464

中央線の駅での体験。真昼間のホームで友人と電車を待っていると、背後から何者かに首根っこを引かれて転倒した。転がると同時に通過列車が通り過ぎた。別段ホームの端という訳でもないので、一人でずっこけた形だ。友人からの「何やってんの」という呆れ声に返答に窮した。

465

新宿の地下駐車場に、コートの女と呼ばれる幽霊が出るという。深夜、巡回の警備員が駐車場の最下階を警備していると、ピチャンピチャンという水音がする。不思議に思い、その音がする方向に行くと、大きな水たまりの中央に、黒いコートを着た女がいた。声を掛けると消えた。

466

会社には、喫煙室が二つあったが、その一つが閉鎖となった。理由を上司に訊くと、「あの部屋、待ってる人がおんねん」と答えがあった。待ってる人は前年に心不全で亡くなった社員だ。だが今も毎晩彼がその喫煙室で休憩しているという噂が立った。それで閉鎖されたのだという。

467

塾講師の友人の話。ある日、踵（かかと）が酷く痺れた。歩きづらいなと思いながら仕事をしていると、普段から〈視える〉という生徒が近寄ってきた。彼は「先生、足の踵に何か食いついてますよ」と言った。見下ろすと、サンダル越しに、噛み付いた歯と口の周辺だけが見えた。

468

とあるファストフードでの話。制服を着た高校生達の中で、一人やたら狭い壁際に座る者がいた。制服を着ているが、誰かと話す様子がない。彼の前にはトレイもないように見えた。不思議だなと思い、店を出るときに彼の後ろを通りがかった。彼の尻の下に椅子はなかった。

469

アルバイト先の二階のトイレと、一階にテナントで入ったスーパーの精肉コーナーには、同じ女性の幽霊が出る。トイレで手を洗っていると、髪の長い女性が鏡に映る。精肉コーナーでも同じ女性が立っている。後日スーパーには悪い噂が立ち、二年経たずに撤退してしまった。

470

高校生の頃、仲間と八王子の廃病院で肝試しをした。奥に進んでいくと病室や手術室などがあり、カルテや機材も散乱していた。よし帰ろうというときに、奥の階段の上から、コツンコツンと足音が聞こえてきた。ぞっとして急いで戻ったが、その足音は家まで追いかけてきた。

471

「あのおじいちゃん怖かったね」と、幼稚園の子供達が話していた。漏れ聞こえてくる断片的な話をまとめると、神社の階段に座っていた老人は、身体が右半分しかなかったらしい。そして、彼らに向かっておいでおいでと手招きをするのがとても怖くて、走って逃げてきたのだという。

472

〈視える〉友人が東池袋中央公園に一歩立ち入った瞬間、「首のない男の人がいる」と呟いた。同行した友人が驚いていると、「そこに首だけ三つくっついて浮いてる」と指差す。不思議そうな顔で「ここ何かあった？」と訊くので、昔は監獄だったと答えると、納得した顔を見せた。

473

駅で電車を待っていると、駅のアナウンスもなしに、大音響で警笛を鳴らしながら、真っ暗な回送電車が通り過ぎた。危ないなあと思っていると、周囲から「今の風凄かったねー」という会話が聞こえてきた。自分以外の人には電車の姿が見えていなかったのかと驚いた。

474

かつてアルバイトをしていたゲームセンターには、「居残りの人」と呼ばれる幽霊がいた。それは閉店間際の、人が疎(まば)らな店の隅にいつの間にか姿を現し、明け方に消える。なので、その店では「居残りの人」のために、閉店後も筐体のうち一台に電源を入れておくのが習わしだった。

475

市民病院に入院していた親戚を見舞いに行った。家族四人で訪れたが、見舞いの最中に、五歳の弟が繰り返し廊下を凝視する。気にした母親が、何かいるのかと訊くと、血まみれの人が廊下をうろうろしていると答えた。母親が巡回に来た看護師に訊ねると、看護師の目が泳いだという。

476

朝の通勤ラッシュで、目の前に立った男性の首の内側から突き出すように、指が四本生えていた。男性も周囲の人々もまるで気にしていない様子で、押されるままにぎゅうぎゅうと身体を押し付けてくる。その度に自分の目に、指先が入りそうになる。たまらず次の駅で降りた。

友人に〈視える〉女性がいる。彼女が駅で「腕が落ちてる」と呟いた。何も見えないので、どうしたの？　と訊ねると、「腕だけが落ちてるのよ。人身事故だと思う。腕だけでもその場所に執着があるのかも」と答えた。駅では時々そのようなパーツだけになった霊を見るという。

引っ越しついでに家具を揃えようと、リサイクルショップに足を運んだ。ダイニングセットに出物がないか、二階の奥の方まで入ると、半透明の人が何人も通路に立っていた。ぞっとして店を出た。その数カ月後、店の前の道を通ると、そこはすっかり更地になっていた。

深夜、幼稚園跡に忍び込んだ。まだほとんど荒らされていない。センサー類は見当たらなかったが、真っ暗な中に警備員の格好をした人が何人も立っている。逃げ帰ろうと振り返ると、近づいてきた警備員の一人とぶつかった。警備員の身体は、慌てふためく自分をすり抜けていった。

地下鉄のホームで、次の列車を待っている間、数本先の柱の影に、骨と皮の老人が立って、こちらを窺っていた。何だろう、気持ち悪いなと思った。次に、携帯を取り出して画面を見た隙に、老人は一本こちら側の柱の影に瞬間移動していた。怖かったのでホームの端まで逃げた。

481

元旦の夜、初売りに徹夜でデパートの前に並んでいると、背の低い黒尽くめの女が、列に横入りを繰り返した。少し並ぶと、またすぐ何処かに行き、戻ってくると今度は別の場所に横入りする。腹が立ったので近くに来たときに、「さっきから何なんだ」と悪態を吐くとパッと消えた。

482

子供の頃、自宅近所の林には悪い噂があった。同級生数人で、探検と称して奥へ進むと、背の高い木が周囲を囲う小さな広場に出た。嫌な雰囲気がして全員が黙った。一人が「あっ！」と指差した先には、大人でも届かないような場所に藁人形がびっしりと打ち付けられていた。

483

地下鉄の長いエスカレーターで天井を見上げると、手形が見えた。清掃員か何かが付けたのかねと、横に立つ友人に話を振ると、見えないと言う。よく見ろよと促すと、顔みたいなのなら見えると言う。そのとき、後ろの段の人から、ここでその話はお止めなさいと声を掛けられた。

484

大晦日に二年参りをしに近所の神社まで行ったが、がらんとして誰もいない。鳥居を抜けようとすると背中を引く者がいる。どきっとして振り向くと、枯れ木のような老人が立っていて、「あっちは去年だ。もう少ししてから出直してきな」と言って鳥居を抜けていった。

485

セルフのガソリンスタンドで給油中のこと。何げなく視線を向けた運転席側のサイドミラーに違和感を覚えた。運転席に座っている自分が映っている。これは変だと運転席のドアに近寄ってみたが、車内には誰もいない。だが給油口に戻るとミラーの中の運転席には自分がいた。

486

不動産業の男性の話。担当物件のテナントが撤退したので、後輩とその物件を点検していた。「壁、鉄筋コンクリートでしたよね」と後輩。どうしたのかと問うと、「隣からノックの音が聞こえるんです」と言う。そんな馬鹿なと思った直後、壁の内側から激しく叩く音が響いた。

487

会社で隣の席の男性には頭を激しく掻く癖があった。だが、あるときからそれをしなくなった。理由を訊くと、見ず知らずの男から呪われたという。「見てください」と彼が頭を掻くと、一ミリほどの短い髪の毛がぱらぱらと降る。「髪は切ってないんです」と泣きそうな顔を見せた。

488

幼い頃、近所に古タイヤが沢山ある公園があった。友達と遊んでいるとき、タイヤの一つに白いものが入っているのが見えた。友達を呼び、木の枝で引き出してみると、真っ白で人の腕の形をしていた。怖いので母親を呼んで公園に戻ったら、もうそれはなかった。

489

とあるショッピングモールの警備員から聞いた話。あるトイレの入り口を映す監視カメラには、目から黄色い光を放つ男の姿が映り込む。それも営業時間外にも映る。その男が出ると、必ずそこのトイレの個室の鍵が閉まっている。凄く迷惑だからやめてほしいという。

490

残業していると、右肘を何かが引っ掻いた。肘を撫でたり周囲を見回しても原因が掴めない。気を取り直してキーボードを叩き始めると、また何かが肘を掻き始めた。チラリと見ると書類の間から紙のように薄い顔が覗いていた。それは大きく口を開けて、肘に前歯を立てた。

491

都内の大学に通う男子学生から聞いた話。駅で階段を上っていると、後ろから腰をぎゅっと強く掴まれた。痴漢かと振り返ると、両手が塞がった中年の身なりの良い女性が、こちらを見て不思議そうな顔をしていた。その日は階段で二回、エスカレーターで一回、同様に腰を掴まれた。

492

ある商店街の小さなギャラリーは、大きな鏡が向かい合わせに置かれている。そこで個展を開いている間、その二枚の鏡の間を半透明の子供が飛ぶのが見えた。六歳ぐらいの女の子で、前触れなく「ぴょん」と飛ぶ。彼女は待機している間、お客さんがいないときに限って現れた。

493

デパートの六階の喫茶店で打ち合わせている最中の話。相手が「さっきから赤ちゃんの声聞こえますよね」と、困惑した顔で言った。「え、そう？」と耳を澄ましたが、やはり聞こえない。「聞こえますよ」と相手は窓の外の方を向いて「あっちからなんですよね」と視線を遠くした。

494

ファミレスの窓際の席で作業をしているときの話。時々窓に映るスーツ姿の男が気に掛かった。店内にいるようだが、周囲を見渡してもスーツ姿の男はいない。再び作業に集中した後で窓の方を向くと、自分のすぐ脇に、首のないスーツ姿の男が立っているのが映っていた。

495

回転寿司屋に行ったときの話。半透明のお爺さんが、カウンターに座っていた。彼は客席の方を向いて座り、目を細め、大きな口を開けてずっと笑い続けていた。食事中ずっと可笑しそうに笑い続けていたが、笑い声は聞こえなかった。

496

通勤で使っていた駅には、壁に頭を押し付けるようにしながら、ずぶずぶとゆっくり沈んでいく幽霊がいた。こちらにずっと背を向け、壁に頭を押し付けている。そこの壁には、十五センチ程の幅で、大人の男性の肩の高さから床までの間、黒い黴が生えたように変色している。

497

昔、カラオケボックスで一人カラオケをした。選曲して歌い始めたところ、自分が声を出しているときだけ知らない女の声が小さく被って聞こえる。デュエットモードでもないし、エコーを切っても聞こえる。マイクの電源を切っても聞こえるので、諦めて無視して歌い続けた。

498

ショッピングモールの駐車場での話。階段を下りていると、フェンスの隙間から手が出ていた。近づくと引っ込む。子供の悪戯かと階段を下り切って振り返ると、また手首から先が突き出ている。フェンスの外側から覗くと誰もいない。階段側を再度確認すると、手が突き出ている。

499

りんごを梱包する工場で警備員をしていた男性から聞いた話。真夜中に人がいないにも拘らず、毎日センサーが侵入者に反応していた。余りにも頻繁に反応するので、同僚の一人がノイローゼになり、最後は入院した。部品を何度も交換した今でも反応するが、原因は不明だ。

500

公民館で町内会の会合があり、知人も会議室に赴いた。会議自体は退屈なものだったので、彼はぼんやりしていたが、入り口に気配を感じてそちらに目を向けると、急に目が覚めた。会議室の入り口の床から、痩せた中年男の顔が床から生えるようにして覗いていた。

501

コインランドリーで乾燥機を使おうとした。乾燥機は三台あるが、どれも使用中のようだ。だが、暫く待っているうちに、そのうち一台は電源が切れていることに気付いた。使おうかと思って躊躇(ちゅうちょ)した。何かが中で回っている。覗き込むと、沢山の人の頭が転がっていた。

502

地方都市の深夜営業の本屋に寄ったとき、雑誌の棚を見ていると、シャツの袖を引く者がいた。子供の悪戯かなと周囲を見回しても誰もいない。変だなと移動して文庫の棚を見ていると、やはり袖がつんつんと引かれる。コーナーを変えても追ってくるので、閉口して店を出た。

503

ある店のトイレで用を足した直後に男が個室に入った。次にまだ幼い長男がトイレに行くというので付き添うと、個室は閉まったままで、ドアの下から水が溢れている。ノックにも返事がない。従業員を呼んでドアを開けた。噴き出た温水で水浸しの個室には誰もいなかった。

504

ある施設のトイレは狭く、個室一つと小便器が一つ、あとは洗面台しかない。小便器に向かうと、洗面台から水が流れる音がした。振り返っても無人で水も出ていない。再度正面を向くと、再び水の出る音がした。音はすぐに止まり、鈴の音を響かせながら見えない何かが出ていった。

505

名古屋在住の住宅展示場のアドバイザーの方の話。そこのモデルハウスの一軒では、子供が皆洗面台に向かって手を振ってから帰る。彼女が子供の一人に、何に手を振っているのかと訊ねると、ぼろぼろの鎧(よろい)を着たおじさんが、ニコニコして手を振っているのだと答えた。

506

随分昔に聞いた話。Y県のある駅に、赤ん坊を抱えた女性の幽霊が出るという。階段を下りた先に佇む彼女と目が合うと、にやっと笑い、赤ん坊を抱えた両の腕を離す。赤ん坊は腕を離れて重い音を立てて床に激突する。呆気に取られていると、その女性はすっと消えるという。

507

地下鉄のエスカレーターで立っていると、段を上ってくる音がした。振り向いても誰もおらず、音だけが急ぎ歩きで昇ってくる。足音はすぐに真後ろまで来た。体当たりのような衝撃が何度かあり、思わず右に避けた。怖さよりも、関東なら右側歩けよ、という気持ちが勝った。

508

コンビニで弁当を買って帰ろうとしたら「お箸、お連れさんの分もお付けしますか?」と訊かれた。「あ、いいです」と断って店を出たが、一人で店に来ていたはずなんだけど、と不思議な気持ちになった。そのコンビニでは、よくそういうことがあるという。

509

ある山手線の駅の近くにある神社の敷地に、真っ青な姿をした男性が立っていた。こちらをじっと見つめ、身じろぎもせず、ただ口だけを動かして何か伝えようとしている。だが声は聞こえない。寄る度に毎回それを繰り返していたが、神社が改築されて以降姿が見えなくなった。

510

銭湯で、湯を切るように掌を湯に潜らせると、小さな渦ができる。それが楽しくて、何度も繰り返していた。湯船の端にいた老人が寄ってきて、「見ててごらん」と言うと、すっと掌を湯に差し込んだ。渦が見る見るうちに大きくなり、その中心から湯船の底が見える程だった。

511

当時の営団地下鉄の社員から聞いた話。終電も終わった、誰もいないはずの地下鉄の構内を、見上げる程に大きく、足が二本生えたぶよぶよの肉の塊が、ぺたりぺたりと歩いていることがあるのだという。それが出た後には、人身事故が起きるので注意しろと先輩社員に言われた。

512

歯医者で横になった状態で待っている間、天井の高さに小さな顔が幾つか付いた球状のものが浮いていた。ヤバイと思って目を瞑っていると、女性の声で「お口開けてください」と呼ばれた。軽く口を開いて薄目を開けると女性はおらず、その球状のものが顔の横で回っていた。

513

ある雑居ビルに書類を届けに階段を上っていくと、マスク姿の女が踊り場に腰掛けて寝ていた。翌日もまだ座っていた。届け先で「階段の女の人、どうしたんですかね」と訊くと、「へ？」と返された。先日久々にそのビルに行ったが、マスクの女は、まだ気持ちよさそうに寝ていた。

514

アルバイトをしていた中華料理屋で、ある頃から料理に長い髪の毛が入っているというクレームが入るようになった。しかし不思議なことに料理人にも給仕にも、店の関係者には髪の長い者は一人もいない。店員の噂では、店長がトラブった女性が丁度同じぐらいの髪の長さだという。

515

霊が出ると噂の工事現場で、作業員達が休憩所を遠巻きにしている。理由を訊くと、入り口に禿頭のおっさんの霊が出るという。気にせず休憩所を使い始めると、暫くは入り口の足下で柔らかいものを踏む感触が続いたが、数日で消えた。それとともに霊の噂も収まっていった。

516

雨の日の話。家の前の公園からは遊んでいる声が全くしなかった。だがジャングルジムに人影がある。何をしているのだろうと目を凝らすと、消防士の着る銀色の防火スーツのようなものを身に着けた三人がぶら下がっていた。時間が止まったように、微動だにせずぶら下がり続けた。

517

バイト先のスタッフルームの奥の部屋は封印されている。夜になると、中から水音や足音が聞こえるが、水道の設備はその部屋にはない。店長を始め霊感のある人は鳥肌を立てて「今いる」と言う。バイト先の前の道が霊道になっていて、葬儀所から幽霊が来ると噂されている。

518

大学生の頃、近所の古本屋の奥に、カーテンで仕切られたコーナーがあった。ある夜そこに行くと、カーテンの下から男の足が見えていた。男が出てきたら入ろうと、暫く立ち読みしながら待っていたが、ずっと出てこない。痺れを切らしてカーテンを潜ると、誰もいなかった。

519

ある営業所でトイレが詰まって溢れていた。業者を呼んで点検してもらうと、トイレに一メートル程もある髪の毛が大量に詰まっていた。男性しかいない営業所だし、おかしいだろうという話になったが、それから数年間、半年ぐらいの頻度で髪の毛が詰まって溢れ続けた。

520

かつて池袋から早稲田への道に廃病院があった。夜な夜な変な気配を感じるので、気になって忍び込むと、廊下には日本人形の首ばかりが無数に転がっており、診察室に散乱したカルテには解読不能な文字が書かれていた。気付くと真っ赤な姿の看護婦がいたので逃げ帰った。

521

公園のベンチで寝ていると、見知らぬ女の子が横に立ち、「はい、あげる」と、手から溢れる程の花弁を手渡してきた。何も言わずに受けとると、女の子はニコニコしていたが、さぁっと風が吹くと消えてしまった。花弁も消えてしまったが、掌からは暫く花の香りがした。

522

新宿駅の地下で友達と待ち合わせをしていると、急に寒気を感じ、喉の奥が気持ち悪くなった。どうしようかと思っていると、先ほどからこちらを気にしている小柄な老女が近寄ってきて、「今すぐそこを離れた方がいいわ。あなた半分お化けに重なってるから」と小さな声で囁いた。

523

先輩が会社を立ち上げたとき、よく雑居ビルの一室の事務所で寝泊まりしていた。だが毎晩二時きっかりに、誰かが廊下を歩き回る足音がした。守衛かと思っていたが、一度もその人を見たことはない。ある夜、他の階の部屋の人に訊いてみると、お化けだから気にするなと笑われた。

524

会社の同僚の結婚式に呼ばれたときの話。式場でトイレに入ったという。用を足して手を洗っていると、どうも鏡がおかしい。自分の姿を正像で映している。右に動くと、像は向かって左側に動く。凝ってるなぁと思ったが、帰りに同じトイレに入ったときは鏡は鏡像を映していた。

525

名古屋に出張に行った折、俯いた女性が、地下鉄のホームの端を空のベビーカーを押しながら、とぼとぼ歩いていた。見ていると、駅員に当たりそうになった。女性は歩みを止め、何故か線路側にはみ出して歩きだした。そこに地下鉄が入ってきて、女性の姿はパッと散った。

526

市内に何のテナントも入っていないビルがある。そこの二階から幽霊が外を覗いている。オーナーがその噂を嫌って確認に行ったが、青い顔をして帰ってきた。彼は翌日から高熱を発して寝込み、三日後に亡くなってしまった。それ以来、亡くなったオーナーが窓から覗いている。

527

バイト先の居酒屋での話。昼に仕込みで早めに出勤すると、先に来ていた店長が、青い顔で「まただよ」と言う。何も聞かされていないので、「何ですか」と訊くと、「あぁ、君には言ってないか」とキッチンを指差す。見ると、戸棚のビールジョッキが五個、粉砕されていた。

528

市役所での話。廊下に自分の旧姓の印鑑が転がっていた。普段から使われているもののようなので、落とし物として届けようとした。だが廊下には転々と何本も印鑑が落ちている。拾っていくと九本にもなった。全てが自分の旧姓と同じものだ。受付に渡すと、怪訝（けげん）な顔をされた。

コンビニのバイトでの話。明け方になると、ゴミの詰まった小さなビニール袋が、自動ドア脇に置かれていた。毎日だったが誰が持ってきたかが分からない。犯人探しをするように店長の指示で気に掛けていると、太陽の出る直前に、空からビニール袋が降ってきていた。

公園の砂場で、泥団子を作っている子供達が「カマキリ持ってこい」だの、「ゲジ入れよう」だの、恐ろしげなことを言っていた。その直後全員同時に宙の一点を見つめ、血相を変えた。一人が絶叫し、皆蜘蛛の子を散らすように逃げ去った。何を見たのかは分からない。

最寄り駅のホームの自販機の下に、ホームから駆け上がった黒猫が入り込んでいった。あ、猫だと思い、しゃがんで自販機の下を覗くと、女性の頭が半分埋まるようにしてこちらを見ていた。驚いて立ち上がり、気を取り直しもう一度覗くと、もう何もなかった。

あるスペイン料理屋で食事をした後にトイレに入って用を済ませた。トイレのタンクの上に、手水が流れる穴が開いているが、手洗いは別で、穴には水が流れない構造になっている。何の気なしにその黒い穴を見ていると、中からふわりふわりと断続的に白い煙が出てきていた。

533

友人はリサイクルショップで中古家具を見るのが好きで、特にデザイナーズ家具などを見て回るという。ただ、子連れでリサイクルショップに入ると、子供が急に泣きだすことが続いた。当時は理由を訊いても答えなかったが、後年、「お店に黒い人が一杯いたから」と教えてもらった。

534

自宅近くのクライミングジムの入っているビルの外壁には、カラフルな足場が付けられている。ある夜帰宅中に見ると、黒い影がその壁に付けられた足場を登っていた。酔っぱらいかなと思ったが、影はずっと上の方まで、一切迷いなく登っていって姿を消した。

535

数年前、都内のある駅でのこと。夕方、ホームに強い西日が入って眩しいほどだった。駅のホームを歩く人々の足下に濃い影が伸びている。「あれ?」と声に出してしまった。その中の一人だけ、足下に影がない人がいた。それは二十歳過ぎぐらいで、学生のように見えた。

536

駅貼りのポスターを剥がしている現場に通りがかった。そのとき、真っ白なポスターの裏に、筆文字の札のようなものが貼られているのを見て興味を持った。作業員に「それ何ですか」と訊いたところ、「まじないみたいなものらしいよ」と答えたが、頑として見せてくれなかった。

537

学生のときの話。友人とカラオケボックスで歌っていると、歌声に別人の声が被り始めた。それに気付いたのか、次第に予約を入れる人が減り、ついに部屋がシーンとなった。そのとき突然誰も予約していない曲が大音量で流れ始めて場が騒然とした。

538

通勤中、とある駅を急行で通過するときには、ホームに立つ真っ赤で巨大な人影を見る。ある日、その駅の近くの事務所に用があり、各停でその駅に降りた。ホームに降りた途端、耳鳴りがしたが、赤い影は見えなかった。ただ、今も急行で通過するときには、その巨大な影が見える。

539

鉄道会社を退職した男性の話。終電後の駅のコンコースに、若い女が立っていた。「終電終わったんで、一度改札の外に出てください」と声を掛けると、女は頷くと、黙って後を歩いてくる。だが足音が一人分ではない。女は改札の外に出ると「まだ中に三人います」と告げた。

540

深夜、最寄りの公園に白い服の女が立っていた。視線を向けると不意に背筋に怖気が走った。目を逸らして去ろうとすると、目の前にその女が現れた。全力で逃げ出したが、それ以来、金縛りに遭う。枕元に誰かが正座しているのは分かるが、動けないので何者かは確認できない。

541

新歓コンパの帰りに、公園で酔いを覚ましていると、手水場の方から水音が聞こえてきた。誰か蛇口を開いたままにしたのかとそちらに行くと、二メートル程の身長の細い中年男性が、斜めに立ったまま頭を壁にくっつけて、口と両目から勢いよく水を噴射している音だった。

542

ファミレスで友達と話をしていると、テーブルの上の携帯が震え始めた。すぐにバイブレーションは止まったが、着信は続いている。電話に出ようとしたが、何故か持ち上がらない。戸惑っていると、テーブルの脚が浮き上がり、携帯は勢いよく床に滑り落ちて、画面が割れてしまった。

543

仕事を終えて伸びをすると、頭の上辺りの天井から一本白い腕が生えているのに気付いた。驚いて立ち上がろうとしたが、身動きが取れない。腕はゆっくりと伸びてくる。同時に天井からも別の腕が何本も生えて、後を追うように伸びてきた。その指先は顔に触れる寸前で消えた。

544

ある駅の駅長室の屋根に生首が見えていた。いつ見ても空を見て虚ろな顔をしている。数カ月後にその駅で降りる用事があったので、駅長室の上を見ると、いつの間にか鳩除けに鋭い針が敷き詰められていた。あの生首がその針の隙間に見え、さらし首のようだと何だか哀れに思えた。

545

あるバーの話。その店に来る客の何割かが、「ここ、何かいる?」と訊ねる。決まって入り口正面の、階段下の踊り場を指す。あるとき店に来た〈視える人〉に訊くと、「害はないですよ」と言った。何かの存在が否定されなかったので、その夜のマスターは始終怯え気味だった。

546

学生から聞いた話。ホームから改札階に上るエスカレーターで、前に立つ女子中学生の鞄に付けられたお守りの飾り結びの結び目が、目の前で解けた。続いて引っぱられたかと思うと紐が千切れて落ちた。拾ってあげたかったが、恐ろしいので声を掛けずにその場を去ったという。

547

大学時代の知り合いが、市営プールに行ったときの話。監視員から「怪我している人は入れません」と注意を受けた。言われて自分で背中を触って初めて気がついた。二センチ程の間隔で背中全面びっしりに縦に細い引っ掻き傷が入っていた。傷は肩口から始まり、腰まで伸びていた。

548

あるビルに書類を届けた後、急な下り階段を踏み外した。まだ床までは七、八段ある。これはマズいと思いながら落ちていく先に、受け止めようとしているのか、大小の掌がぎっしり生えているのが見えた。それを見た直後、空中で体勢を立て直し、掌を踏みつぶして走り去った。

549

帰宅途中に駅のトイレに並んでいると、激しいノックの音が聞こえた。どうも清掃用具入れからのようだ。だが他の人はノックが聞こえていないようだ。程なく自分の番が来て、用を済ましてトイレを出るときに、その用具入れのドアの下から白い手が何本も這い出てくるのを見た。

550

ある銭湯が廃業するので、解体作業が始まった。煙突も壊すのだが、その前に一度登って色々と調査を行うという。一番上まで行った作業員が降りてくると、その手にはお守りが沢山握られていた。古いものも比較的新しいものもあった。銭湯の主人はまるで知らなかった。

551

喫茶店で待ち合わせをしていると、店の外から小一時間もこちらを見ている女がいた。運悪く目が合った。口が「出てきて」と動いた。気持ち悪いなと無視していたら、すっと目の前のガラスを隔てたすぐ向こうに立った。向こうが透けて見えた。慌てて店内の別の入り口から逃げた。

552

元日、近所の神社に出かけると、鳥居の先が虹色に光っている。何だこりゃと周囲を見回すが、周囲の人は気付いていない。不思議に思ったがそのまま参拝を終えた。別の神社や個人宅の小さい社にも、眩しい光が見えたり、雲が掛かっていたりと不思議な一日だった。

553

とある パチンコ店でのこと。島の端の台に、暗い雰囲気の男が座っている。だが台を打っている様子がない。知り合いの常連にその話題を振ると、「ああ、あの台ね。時々見る人がいるみたいだけど。あいつ、パチの借金でこのトイレで自殺してっから」と当たり前のように言われた。

554

友人は初めて降りた駅で、彼女に「改札に、いたよね?」と小声で訊かれた。黙って頷く。長い乱れた髪。異常に大きな目。その周囲が真っ赤に腫れている女。改札の横から流れていく人の中に誰かを探している。「彼女もヤバいって直感したみたいです。あの存在感は軽くヤバい」

555

地下鉄の駅で、小学校低学年の集団に遭遇した。騒がしいなと思いながら地下鉄に乗り込むと、小学生達も同じ車両に乗った。子供達は思い思いに喋っていたが、不意に一人が「あーっ」と言って外を指差した。すると、半分以上の子供達が車外の暗闇に向かって手を振り始めた。

556

あるカフェで、高速回転する蜂の羽音のような音が聞こえた。周囲を見回すと、三人の地味な顔をした男達が、羽音のような声で会話をしていた。不思議な気持ちで耳を傾けていると、男達はこちらの存在に気付いたように会話を止め、やたらと丁寧な日本語で会話を再開した。

557

都内の地下鉄のとある駅で階段を下りていると、背後から地鳴りのような音が聞こえた。何か大きなものが来るような気がしたので、慌てて手摺りに掴まり、壁に身体を寄せた。回転する大きな毛玉のようなものが、階段を転がり落ちてきた。それはホームの方に走り抜けていった。

558

福岡県のとあるオフィスの窓からは、稀に向かいのビルから人が落ちるのが見えるという。見えるだけで実際にそのビルから飛び降りがある訳ではない。だがそのオフィスの社員や客が、数年に一度は「落ちた！」と叫ぶことがあるのだという。なお心当たりは社長を始め、誰にもない。

559

勤め先の居酒屋の仕込みのために、冷蔵庫のタッパーを取り出そうとドアを開けたところ、何か嫌な臭いがした。大将と確認すると、野菜室の中に見覚えのないタッパーがあった。中には得体の知れない赤黒い煮こごりが入っていた。即刻捨てたが、誰が犯人かは今も分かっていない。

560

全自動駐車場の管理人の話。基本はコンピュータ制御なので、人が入り込む余地はないという。だがある日モニタで監視中に人影が映り込んだ。万が一のことを考えて、守衛が見に行ったが、人影はずっとモニタに映っているにも拘らず、守衛の目には映らなかった。

561

始発に乗るために駅の階段を上っていると、背中に小学生ほどもある巨大な鳥の雛をおんぶ紐で括り付けて、何度も頷きながら階段を下りてくる老人とすれ違った。すれ違いざま、その鳥と老人が彼女の方に向き直った。一秒程向かい合った後、老人は無言で階段を下りていった。

562

池袋の公園でベンチに座っていると、不意に身体が動かなくなり、体温が下がっていった。横に誰かがいる気配も感じる。そのとき「パアン」と掌を打ち合わせる音が聞こえ、ふっと身体が軽くなった。礼を言おうとしたが、拍手を打った男は、無言で公園を横切って去っていった。

563

都電の駅のすぐ近くの神社の前にある坂道を通りがかる度に、赤い長袖の服を着たおかっぱ頭の女の子が横切る。夏場も同じ長袖の暑そうな服を身に着けている。よく見ると、服の端々が焼けていた。神社に訊くと、戦時中に焼け出されて、逃げ切れなかった子ではとの話だった。

564

新宿のある高層ビルでの話。駐車場への行き方を失念した末に、見知らぬ階段に入り込んでしまった。迷っていると、上階から階段を駆け下りてくる音がした。出口を訊こうと待っていると、黒いローヒールに、黒のタイトなミニスカートを穿いた下半身だけが駆け抜けていった。

第七章

565-666

路上で遭遇したもの

とある飛び降り自殺の名所で何かの叫び声を聞いた際のことを考えてみよう。

その声は、飛び降りているその当事者のものなのか、それともそれを目撃してしまった人のものなのか。冷静に考えてみると、後者であろう。空間に残ってしまった叫び声の記憶、大きな感情とともに発された言葉などは、時に空間に記憶を残す。そういう考え方はどうだろうか。

565

六人で心霊スポットに行ったが、怖じ気付いて、友人と二人で他の人たちの帰りを待つことにした。だが、いつまでも戻ってこない。焦れて連絡を取ると、もう車を出して走っていると言われた。迎えにくる間、先ほど車に乗ったはずの二人は、一体誰だったのかと騒ぎになっていた。

566

会社からの帰り道、最寄り駅から自宅に向けて歩いていると、突如目の前に何本もの炎の点いた蝋燭が揺れ始めた。目の錯覚かと炎を手で払おうとしたが、炎は揺らぐだけで消えない。強い風が吹くと炎は揺らぐ。家の前まで着くと、蝋燭は左右に道を空け、今来た道を戻っていった。

567

あるとき、「呪いの女」と呼ばれる女が出ると噂されていた坂道に、一人で夜中に肝試しに行った。すると物陰から急に女性が現れ、追いかけられたので、家まで逃げ帰るはめになった。それを見ていた近所の人が、「この前、夜一人で走り回ってたけど大丈夫でしたか」と訊ねてきた。

568

東京の多摩地区は山を切り崩して開発した場所が多い。その切り通しのような道路は石垣で覆われている。ある雨の夜、石垣の隙間からどろりとした液体が滲(にじ)み出て、道路にまで流れ出ていた。その先は盛り上がって足の形を作っていた。翌日通りがかると、足跡だけが残っていた。

569

自宅近くの橋を渡っていると、橋の下の川のたもとの、家などあるはずのない位置に家が建っていた。明かりも点いている。あり得ないと思って凝視していると窓に女性の影が映って手招きした。これは人でないと直感し、すぐに橋を離れた。その家はその後も時々見かけた。

570

男が自販機で缶コーヒーを買い、商品を片手に歩いてきて手前の角で曲がった。十五秒ほどのことだ。何となくその光景を見ていたが、一秒程目を閉じて再び目を向けると、同じ男がまた自販機で缶コーヒーを買っていた。戸惑っていると、商品を手に男はまた角を曲がった。

571

帰宅途中の道の真ん中で、腰まで埋まっている女性を見た。やけに髪の多い後頭部を正面から見下ろす形になった。立ち尽くしていると、女はじわじわと地面に沈んでいく。すわ別の道から帰ろうと踵（きびす）を返そうとした瞬間、女の首だけが振り返り、けたたましい笑い声を上げた。

572

桜の季節の話。眠れず、深夜の夜桜見物と洒落込むことにした。近所の桜並木を端から端まで歩こうと決め、ふらふらと歩いていると、それぞれの桜の下に何かがいる。黒い影が桜の花びらの散る下で、ふわりふわりと舞を踊っているように見えた。不思議と怖い感じはしなかった。

573

知人の娘さんは、自宅近くのお屋敷の前を通るのを嫌がるという。通学路なので昼間は仕方なく通るが、夕方以降は通らない。その前を通ると、人感センサーで明かりが点き、通り過ぎるとすぐ消える。だが娘さんが通り過ぎた後は、誰かが追いかけるように再度明かりが点く。

574

深夜にゴミ出しをしていると、坂の上の方に住む男性が、真っ青な顔をして、両脇を抱えられながら坂道を引き摺られて下っていく。両脇で支えているのは黒い影のような男二人だ。あの御主人どうしたのかしらと思ったが、翌朝、その男性の訃報が回覧板で回ってきた。

575

雨の降る夜の話。帰宅途中にある横断歩道の白線が一本、妙に青く光っていた。周囲に街灯もなく光源が分からない。興味を持って近づくと、白線の部分が持ち上がっているようだ。よく見ると白線に目と口が描かれていた。それが身を起こそうとしているところだった。

576

警備員として働いていたときの話。「うちの息子知りませんか?」と、夜中に訪ね回る老婆がいた。警備員として、まずは警察に連絡し、彼女を自宅に送ることにした。送っていった先には立ち入り禁止のテープが貼られていた。殺人事件で一人暮らしの老婆が殺された家だった。

577

視える人から聞いた池袋での話。激しく口論をしているサラリーマン二人が通りがかった。何処からか激しく笑う声も聞こえてくる。何処から聞こえてくるんだと思って周囲を窺うと、二人のサラリーマンの頭上で心の底からおかしそうにゲラゲラと笑う三つの顔が浮いていた。

578

実家に行くときには必ず通る、カーブした緩い上り坂がある。日が暮れてから早朝にかけてそこを通ると、いつも日本兵の服装をした人が歩いている。最初はそういう趣味の人がコスプレしているのだろうと思っていたが、よく見るとその身体は透けて背景がうっすらと見えている。

579

通勤途中に道端の瓶に入れた花が倒れていた。気になるので直しておいた。数週間後、会社に向かって自転車で坂道を下っていると、耳元で「あぶないっ！」と怒鳴られた。びっくりしてブレーキを掛けると、目の前をダンプカーが走りすぎた。そこは花を直した場所だった。

580

深夜帰宅すると、マンションのエレベータが整備中だった。階段を上って部屋に入り、ゴミ袋を持って再び階段を下りようとした。すると、階段の段が全て削り取られたような急な斜面になっていた。その夜はゴミ出しを諦めた。翌朝恐る恐る覗いてみると、もう戻っていた。

581

引っ越しの手伝いの最中、広い国道を走っていると、左半身だけがスーツ姿という人が歩いていた。歩き方は普通だったので、恐らく半身が何かに隠れているのだろうと思っていたが、思い返してみても、透明な半身を通して後ろを歩く人々が透けて見えていた。

582

空襲の被害のあった、ある県庁所在地での話。戦後すぐに、建設途中の大きな橋の欄干を、夜になると真っ黒な人影が鈴なりになって歩いていった。橋の中程まで行くと、黒い人影は次々と川に飛び込む。しかし、音は一切聞こえなかった。それはひと月ほど続いてぴたりと止んだ。

583

帰宅途中に、壁に向かってしゃがんでいる男がいた。その男の顔の辺りが、ちらちらと光る。遠目にはライターで煙草に火を点けていると思ったが、どうも様子が違う。通り過ぎる際に見てみると、男は透けていて、顔全体がちらつく蛍光灯のように光っていた。

584

桜の下に小柄な女が立っていた。女を見つめていると、彼女は四つん這いになり、凄い勢いで近づいてきて、周囲を回り始めた。細身の身体がぐるぐると円を描く。次第に腕や足が削れ、周囲に花弁が散る。ついに女は消え、花弁も風に煽られて消えてしまった。

585

通学路に古い電話ボックスが残っている。小学校時代に友達から「あの電話は時々鳴る」と聞いて以来、その電話ボックスが怖い。ある日、帰宅途中にその電話が鳴っていた。怖かったが、何故か電話を取らなくてはと思い受話器を外した。「ずっと見てるから」と言い残して切れた。

586

雨の日の夕方、国道十六号で信号に引っかかったときの話。透明な四つ足の動物が、横断歩道を渡っていく。雨がその動物の形に弾けている。ただその透明な何かは、道の途中で見えなくなってしまった。助手席の友人が、あれは雨の日になると何度も轢かれてるのかなと呟いた。

587

自転車に乗ってテニスバッグを背負った女子大生が、交差点の向こう側で信号待ちをしていた。そのバッグの上に、男の生首が載っている。悪趣味な人形をバッグに入れてるなと思ったが、信号が変わり、自転車が走りだした瞬間に、その首だけが空中に取り残されて消えた。

588

三歳の娘が、買い物途中に黒い人がいると怯える。どうせ何かの見間違いか何かだろうと思い、何処にいるのか訊いたところ、自販機と自販機の隙間を指差した。その自販機の周囲は確かに暗く、よく見ると霧のようなものが立っているのが見えた。

589

冬の朝、ごった返す人混みの中で、ぐるぐると回転している女がいた。周囲の多くはスーツを着たサラリーマンだが、女が羽織っているのは季節外れのハイビスカス柄のムームー一枚だ。人波に流されるように女の脇を通ったときに視線を送ると、あちら側が透けて見えた。

590

明け方に散歩していると、始発で海外旅行にでも出かけるらしい若い女性が、トランクケースを押しながら、必死にスカートを押さえていた。見ると、ロングスカートの端が次々に持ち上がり、バレエのチュチュのように水平になろうとしていた。彼女はそれを困った顔で押さえていた。

591

富山県の小矢部でのこと。暴走族のようなことをしていた知人は、その日も仲間と単車を乗り回していた。あるトンネルに入ったとき、出口付近で仲間が全員揃って失速した。そのとき、数人は白い服を着た女が横切るのを見た。残りはトンネルの中に置かれた花束を見たという。

592

首都高での話。渋滞でのろのろ運転をしていると、左側のフェンスの上に、黒い人の姿があった。それがいきなり何かを投げつけてきた。白い紙に包まれた花束だった。花束は前を走る車のルーフに当たり、花束は弾け、花は風に舞って消えてしまった。

593

ある夜、高層ビル街で酔い覚ましをしていると、見上げるほどの黒い影が三体、よろよろとその街路に入ってきた。全員酷い猫背で明らかに人ではない。酔いは一瞬で冷めたが、身体が震えて身動きが取れない。影はこちらに顔を向けた瞬間、釣り上げられたように急に空に上って消えた。

594

歩道を歩いていると、前から自転車が来た。自転車は速度を落として止まり、くるりとUターンした。道でも間違えたのかと思っていると、暫く先の路地に曲がっていった。やっぱり道を間違えたのかと進んでいくと、自転車が曲がった付近で愕然とした。そこに道はなかった。

595

開業して間もないリハビリ病院前に、何人もの黒い影が集っている。その前を通らないようにしていたが、あるとき仕事でどうしても通らないといけなくなった。影たちは治らない治らないと、呪文のように唱えていた。彼らは満遍なく、全身のあらゆる場所を欠損していた。

596

雨の夜、前方に傘を二本さして歩く男がいた。一本は自分の真上に、もう一本は右前に差し出している。ゆっくりと道路の右端を歩く男の脇を追い抜くときに、さっと目の端でそちらを見ると、男の差し出す傘の下に、後ろからでは姿の見えなかった水色のワンピースを着た女性がいた。

597

夕方、大通りで信号が変わるのを待っていると、交差点の向こうから自転車が走ってきた。しかし奇妙な走り方をしている。直線の道を走ってくるのに、四五度ほど傾いたまま凄いスピードで走ってくる。信号が赤なのにブレーキを掛ける素振りもない。大通りに突っ込んで消えた。

598

高校からの帰り道、道の向こうからサラリーマンが歩いてきた。だが何かがおかしい。近づいてくるにつれて、違和感が増した。何がおかしいんだろうと、すれ違いざま目端で見ると、やけに薄かった。胴も腕も足も薄い。五センチもなかった。男はそのまま歩いていったという。

599

国道八号線を運転していると、巨大な水柱のようなものが吹き上げているのが遠くに見えた。その大きさたるや尋常でなく、吹き上がる柱は天地を結び、上端が雲に溶けている。それを目指して車を走らせたが、麓に近づくこともできない。北陸の八月、お盆の頃の話である。

600

友人の前を、女性が歩いていた。ノースリーブから伸びた片腕の肌は濃い緑色だった。彼女が腕を振ると、千切れた緑色の和紙のようなものが手首から落ちて、道に跡を付けていく。女性は形崩れした腕を何度も大きく振りながら、人混みに消えていった。

601

路上に座り込んでいる少女がいた。全身が真っ黒で、肌は爛れている。女性が前を通る度に顔を上げて、「お母さん?」と訊ねている。「見ちゃ駄目だからね」との友人の忠告にも拘らず、脇を通るときに横目で少女の方を見た。そこには誰もおらず、小さな靴だけが落ちていた。

602

都内に通う大学生の話。ある日、大学に行こうといつもの道を歩いていたら、急に右腕を引っぱられた。驚いて手を振り解こうとしたが、誰もいない。周りを見回しても自分一人だ。数歩歩くとまた腕を引っぱられる。結局その日はバスに乗り遅れ、授業に遅刻したりと散々だった。

603

高層ビル街を深夜に歩いていると、背後に何かが落下する重い音がした。自殺だったら嫌だなと思いながら振り返ったが何もない。暫く様子を窺ったが何も起きない。そのときは気の所為にして立ち去ったが、数日後、また背後で同じ落下音がした。今も時折聞こえるという。

604

湘南に住む女性が見た光景。正月休みの早朝、東の空に逆立ちの大きな富士山が見えた。まるで蒼穹をスクリーンにしたように、真っ白に雪を冠った富士山が、上下逆さに堂々と空に浮いていた。気になって西を見ると、本物の富士山が見えた。振り返ると逆さ富士は消えていた。

605

買い物の途中で見たもの。二人の中年女性が道端で熱心に何か話し込んでいる。だが二人の背中からは、それぞれ白くて半透明の中年女性が、まるで脱皮するかのように大きくはみ出し、仰け反るようにして頭を地面に向けていた。二人ともそれには気付いていないようだった。

606

背後から壊れた扇風機のような音が近づいてきた。何だと思って振り返ると、頭部が高速で回転するスーツ姿の男が、ゆっくりと泳ぐようにして背後を歩いていた。思わず壁際に避けてじっと見ていると、男はそのまま先まで音を立てながら歩いていき、跡形もなく消えた。

607

早朝、新聞配達をしていると、真っ白な霧の中に、赤い幅広の布を頭に巻き、真っ赤な振り袖を着た女が、両手を広げて道の真ん中に立っていた。関わりたくなかったので道を引き返そうとしたが、女は空中を滑るように寄ってきて、目の前で捻られた蛙じみた奇声とともに消えた。

608

道に直径六十センチ厚み五センチ程の鉄の輪が転がっていた。それを避けて通り過ぎると、後ろからアスファルトと金属が擦れる音がした。振り返るとその輪が立ち上がり、音を立てながら追いかけてきた。コンビニに入ると、店の前でガランガランと音を立てて倒れた。

609

新宿での話。やつれたサラリーマンが、おぼつかない足取りで道の端を歩いてきた。体調が悪いのかと思いながら眺めていると、案の定、壁にぶつかりそうになった。危ないと思ったが、男性は自身の左半身を壁にめり込ませたまま、意にも介さずまっすぐ通り過ぎていった。

610

母と墓地の横を通る際に、急に涙と鼻水が止まらなくなった。肩は何かが乗ったように重い。手を引く母と走って通り過ぎると、一旦は治まったが、それ以来、毎晩深夜二時に息苦しさに目覚める。天井には黒い煙が渦を巻いて、無数の目がこちらを見ていた。それは三年続いた。

611

駅までの道すがら、背後から「歯ぁ落ちてなかったか」と訊ねられた。振り返ると、絡まった髪に汚れ切った服の小男が、片足立ちでゆらゆらしていた。「やばいのに引っかかったな」と思うと同時に男の顔が目に入った。下顎がなく、喉に穴が開いていた。一目散に逃げた。

612

夜、駅から自宅に帰る途中、向こうから小さな赤い光がゆっくり向かってくるのが見えた。最初何だろうと思ったが、どうやら煙草の火だということが分かった。だが、遠くに見えたときには人のシルエットが見えていたが、すれ違うときには、赤い煙草の先端しか見えなかった。

613

自転車で走っていると、道端に汚れた麦わら帽子が転がっていた。自動車に潰されたら大変だと思って自転車を停め、帽子を拾い上げてひっくり返すと、内側は真っ黒で、中に中年男の顔があった。戸惑っていると、「下手なおせっかい焼くもんじゃないよ」とぼそりと呟いて消えた。

614

待ち合わせに遅れた友人が、息せき切って言うには、待ち合わせ場所に来る間に変なものを見たので、迂回して遅れたのだという。落ち着かせて話を訊くと、手足がボルゾイのように長く、顔の細い老婆が、四つん這いでひょっひょっと足取りも軽く、新宿の繁華街を歩き回っていた。

615

ある夜、酔って帰るときの話。帰り道をショートカットすべく、空き家の敷地を通り抜けようとした。少し高くなっている敷地の階段を上がって、突っ切れば近いのでよく使っていた。だが敷地裏の階段まで来て足がすくんだ。そちら側の階段の全ての段で白い掌が舞っていた。

616

早朝、仕事に行く道の植え込みの中に、スーツを着たビジネスマンが立って、煙草を吸っていた。この人は何をしているんだろう、と思い、すれ違い様そちらに視線を投げてみたが、意に介する様子もない。不思議な人もいるもんだと思って振り返ると、もういなかった。

617

年末行き倒れの女性を拾った。飲み過ぎで意識がない。半身は雪に埋まっている。放置しておいたら凍死だ。公衆電話から救急車を呼んだ。冷えた身体をベンチに横たえ、ホットの缶コーヒーを脇に入れる。だが何度か自販機を往復する間、女性の身体は消え、服だけが残っていた。

618

父がまだ若い頃に、人死にが多かったという噂のある廃トンネルに肝試しに行った。夜中に七人でバイクで行ったが、父だけがトンネルに入らなかった。それから一週間の間に、父以外の六人が一人一人順番に交通事故に遭い、全員入院してしまった。父はそれ以降肝試しはしていない。

619

雨の日の学校帰りに自転車で一本の坂道を登っていくと、白いウェディングドレスを着て、黒髪のロングヘアの女性が雨に打たれて立っていた。坂には何もないのでそこにいる理由がまるで分からない。怖かったので坂を登り続け、頂上で振り向くと、もう女性の姿はなかった。

620

夜、近所の街角のライブストリーミングを見ていると、何処からともなく影がぐーっと伸びてきて、また縮んで消えるというのが繰り返されていた。どう見ても人間の背丈でできる影ではない。数人でそのカメラのある場所を訪れてみたが、そんな影ができそうな光源もなかった。

621

運転中に誰もいない横断歩道の赤信号に引っかかった。歩行者信号が点滅を始めた頃、背の低い和装の老人達が静々と行列で横断歩道を渡りだした。信号が変わっても歩みを止めない。暫くして後ろから来た車からクラクションを鳴らされてハッとすると、行列は見えなくなった。

622

深夜帰宅しようと、高層ビルの脇を抜けて地下鉄の出口に向かう途中、何やら高層ビルの側面を、幅数十メートルはある巻いた布のようなものが、べろべろと風に舞いながら落下してきた。危ない！　と思ったが、地上に落下する前にふわりと浮き上がり、そのまま飛び去っていった。

623

深夜、街道で信号待ちをしていると、路地から飛び出した髪の長い女の子が歩道を走ってくる。後ろから数人の少年少女が追いかけている。こんな時間に変だなと眺めていると、女の子が振り向いて立ち止まり、その腹に後から来た子らが黄色く光を放ちながら吸い込まれていった。

624

帰宅途中の橋の上で、目の下にちくりと何か刺さった。拭うと何処からか細い糸が伸びている。それがピンと張り、川面に引っぱられた。欄干にしがみついていると、酔っぱらいに「何やってんだ」と声を掛けられた。その瞬間刺さっていたものが外れてひっくり返ったという。

コンビニからの帰り道、背後から眩しい光に照らされた。細い路地を車が近寄ってきているのか。振り返ると、光源は一つで車のヘッドライトよりも激しい光だ。何より一切音が聞こえない。怖くなって慌てて駆け出したが、光は別のコンビニに駆け込むまで、ずっと後をつけてきた。

強風の日に、広い墓地に墓参に行った。通路の向こうから風に飛ばされてバケツが転がってきた。だが、バケツは数歩先で静止し、今度は風に逆らうように転がっていく。それを追うように歩いていくと、曲がり角でバケツを見失った。その角を過ぎたところが目指す墓地だった。

墨田区での話。三月上旬の深夜、コンビニまで行く途中で、まだ二歳ぐらいの子供を連れた女性を見た。だが服装がおかしい。モンペ姿でとぼとぼと歩いている。子供も押し黙って、声を掛けられるような雰囲気ではなかった。どうしてかとも思ったが、日付を思い出して手を合わせた。

犬の散歩でいつものコースを歩いていると、急に犬が唸り始めた。見ると怯えて尻尾を丸めている。犬の唸っている方向を見ると､全身肌から着物まで灰色の老人が立っている。「やぁどうも。まだみたいだね」と通る声で言いながらひょこひょこ歩き、空気に溶けるように消えた。

629

数年前の八月半ば、沖縄での話。帰宅途中に、ぼろぼろの軍隊服を着た子供の兵隊が道に伏せているのを見た。かなりやせ細っており、片方の足は空間に溶けているかのようにおぼろで全身は見えない。これはこの世のものではないなと直感し、大きく迂回して帰宅した。

630

山道を歩いていると前方から僧形の男が下りてきた。珍しいなと思って会釈をしたが、無視して下っていく。暫く歩くと、また同じような僧形の男とすれ違った。その日は何度も僧形の男とすれ違ったが、その山には寺もなく、山仲間にもそこで僧形の者を見た人はいない。

631

高校時代の話。激しく車の往来する交差点を、急ぐでもなく歩き抜けるというお婆さんを見かけた。あの見切りは異常だと一人で興奮していたが、どの車もそのお婆さんに対して一度もクラクションを鳴らさない。周囲の人も全く気付いていない様子だった。

632

近所の大きな家から線香の匂いが漂ってきた。以来、毎日匂いが強くなっていく。ある朝、母と一緒に出かけたときに、その家の前で、線香の香りがするかと母に訊くと、母は分からないようだった。だが数日後、その家の葬儀の案内が張り出されていた。「ああ、やはり」と思った。

633

友人と会合を終えて帰るときに、町内の家の庭に黒い半透明の柱が立っているのを見た。「やなものを見たな」と思い、帰って奥さんに「近いうちに葬式が出るかもしれん」と告げたという。数日後「ねえ、何で知ってたの?」と奥さんに言われて「ああ、やっぱり」と思った。

634

寒い冬の朝、缶コーヒーを買おうとして自販機の下に五百円玉を落としてしまった。毒づきながら膝を突き、自販機の下を覗き込んだ。奥の方にぬめった感じの黒い塊があった。ぎょっとしていると。「はぅい。どぉぞぉ」とエコーの掛かった声とともに五百円玉が転がり出てきた。

635

都内のある通りの歩道橋で、以前何度か首吊りがあった。それ以来、早朝に車でその下を通り過ぎると、時折、真っ黒なミノムシのようにぶら下がったものが視界に入る。そこの歩道橋で自殺があったことを知らない友人も見るので、最近はその通りを使わないようにしている。

636

首都圏を一周する幹線道路の、ある交差点での話。そこではお爺さんの霊が道を渡るタイミングをはかろうと、首を左右に振り続けているらしい。「右見て左見ておよそ一秒。それだと一日に八万回以上も首を振り続けることになるし、それも地獄ね」とは教えてくれた女性の言。

637

三十年以上前の話。街で風船を持つ子供の手を引く親とすれ違った。子供もその親も気付いていなかったが、その風船の中は煙のようなもやもやしたものが入っていた。気になって振り返ると、そのもやもやは集まって目の形になり、こちらを睨むと、また煙に戻った。

638

飲み屋街で、「助けて」という女性のか細い声が聞こえた。立ち止まって何処だろうと周囲を見回しても、それらしい人が見当たらない。気のせいかと立ち去ろうとすると、再び「助けて」と聞こえた。だいぶ近い。足下のマンホールの隙間から手が伸びて、ズボンの裾を掴んでいた。

639

雨上がりに見た光景。広い水たまりから、尖った石が頭を出していた。その石を中心に、水面に綺麗に輪が広がっていく。既に雨も降っておらず、水滴が降った訳でもないのに、石を中心として水面に波紋ができていた。その石は一秒に一回程の間隔で波紋を作り続けていた。

640

自転車で帰宅中に深夜の街道で見た車は、後ろに長い布を引き摺っていた。不思議に思って、思い切り自転車を漕いで並走すると、布に見えたものは、薄く長く引き延ばされた男だった。その目がこちらを睨んだので、思い切り急ブレーキを掛けた。車はそのまま走り去った。

641

大学時代の後輩の話。大学からの帰り道、暗い道で得体の知れないものに、十回ぐらい連続で転ばされたという。立ち上がろうとする度に足が滑り、暫くゴロンゴロンと道端で転げ回った。だがアスファルトに何度叩き付けられても不思議と擦り傷はできず、打ち身で済んだ。

642

腰掛けで短期間だけ住んでいた家の近所で見かけたもの。朝、近所の家の柵の上に、四歳ぐらいの女の子が座っていた。正座だ。一人で幼稚園の制服を着て、ギザギザに尖った細い柵の上で正座している。周囲に親らしき人もいない。気になって振り返ったときにはもういなかった。

643

自転車で走っているときに、肩を掴まれる感覚があった。バランスを崩すと、びゅうと強い風が吹いて体勢が戻った。暫く走るとまた同じように肩を掴まれた。バランスが崩されては風が吹くを何度か繰り返した後に、自転車から降りた。足下からつむじ風が去っていった。

644

夜のウォーキング中に見たもの。異様な老婆の顔が暗闇に浮いていた。目をまん丸に見開いて、舌が地面に付きそうな程に長い。浮いているのは胸の高さほどの位置で、距離は十メートルもなかった。息を呑むと、すぐにその顔は消えた。だが今になっても稀に視界の隅に現れる。

645

早朝、犬の散歩中での話。白い服で白い肌の真っ黒な長い髪の女性が、膝まで土に埋まった状態で道の端に立っていた。嫌だなと思って、無視して通り過ぎようとしたが、犬が紐を引っぱってそちらに行く。犬が足を上げておしっこをかけようとすると、女性は凄い顔を見せて消えた。

646

クラブ活動の帰り、近道にと墓地を通り抜けることにした。既に陽は落ちたが、まだ夜には早い時間だ。友達と携帯でメールをしながら通り抜けようとして、はっとした。薄黒い人影が墓石の前でこちらを向いて正座していた。どの墓にもいる。泣きそうになりながら駆け抜けた。

647

自転車で走っていると、金属の棒を引き摺る少年がいた。何に使うのかなと速度を落とし、追い抜き様に少年の方を見ると、彼は突然棒を前輪のホイールに突き出した。自転車から投げ出されて全身を強（したた）かに打った。「何をするんだ！」と怒鳴ったが、棒だけが残されていた。

648

道端に肌色の風船が転がり、風が吹く度に、左右にふわりふわりと揺れていた。近づくにつれて、風船ではないということが理解できた。それはつるっ禿の人間の頭だった。地面に転がって、左右に首をゆっくり振っていた。気付かれないように、大きく回り道して帰った。

649

高校生のときの話。部活が終わり、友達と暗い通路を歩いていると、理科準備室の前に水色のゴム手袋が干してあった。そのまま通り過ぎようとすると、友達が「あれ何だ？」と指差した。指先を洗濯バサミで挟んだゴム手袋から、真っ赤な手首がずるっと落ちて消えるところだった。

650

家まで百歩。視線を下げて白線の上を辿る。自転車、電柱、排水溝。六十、六十一と、数えて歩んでいくと、黄と黒の侵入防止柵が立っていた。朝にはなかったが、顔を上げると工事のようで、柵で道が塞がれていた。迂回して帰ったが、家の前からはその柵は見えなかった。

651

深夜三時に、家で友達と電話をしていると、外から移動販売の八百屋が野菜を売りに来る音がした。相手の電話からかと思ったが相手は違うという。耳を澄ますと外から聞こえてくる。ベランダに出ると、八百屋のエプロン姿の男性が、自宅の前で微動だにせずに立っていた。

652

就職活動中の話。スーツ姿で交差点を渡っている途中に、頭の上に水が降ってきてずぶ濡れになった。見回しても水が降ってくる要素は皆無で、不思議に思った。しかし後で思い返すと子供の頃にも一度同じように水が降ってきて、自分だけがずぶ濡れになったことを思い出した。

653

近所の主婦に聞いた話。お盆の夕暮れには、見えない火の玉が無数にくるくると行き交っているという。暫くすると一つ、また一つと方々に飛び去っていく。だが最後まで残って巡り続けるものもある。それは「帰れない人」で、もう次の盆には戻ってこられないらしい。

654

妻が独身時代、車で帰宅途中に父親から電話が入った。走っている最中、後ろに車を付けないようにしろ、という電話だった。途中で後ろに車が入ると、急に白い霧で視界が失われた。慌てて道の脇に停め、暫く後続をやり過ごしていると、電話が入り、もう大丈夫だと言われた。

655

助手席側から衝撃があった。赤ちゃんの泣き声が響く。急いで扉から飛び出すと、「大丈夫ですか！」と声を掛けた。だが返事がない。目前に乳母車が転がっていた。彼は真っ青になった。だが周囲には誰もいなかった。乳母車だけが転がっていた。泣き声も既に消えていた。

656

深夜、峠を抜ける街道を走っていると、青い作業服を着た初老の男が両手で黄色い布を持ち、上下に振っていた。この先で工事中かなと思い、徐行しながら先に行くと、カーブを曲がったところに、また同じ男がいて、布を振っている。しかし、行けども工事現場はなかった。

657

繁華街を歩いていると、真っ黒な影を足下に引き摺る男がいた。周囲の街頭やネオンではそんなにはっきりとした影はできず、自分の足下を見てもそんな影はなかった。男はずるりずるりと靴底を擦り付けるようにしながら歩いていく。その間影は少しずつ伸び続けていた。

658

深夜、コンビニに行った帰りのこと。何処からともなく「シャリン」と鈴を振る音がした。子供が遊んでいるにしても遅い時刻だ。何の音かと立ち止まって耳を澄ますと、交差点から、見上げる程の背の和装の男が、鈴を振りながらゆっくり滑ってきて、通りを抜けて消えた。

659

初夏のある早朝のこと、誰もいない商店街をジョギングしていると、向こうからゆったりとした白い服に、ターバンを巻いた男が滑るようにして歩いてきた。その肩に頭の四、五倍もある巨大な白い梟(ふくろう)が留まっている。すれ違ってすぐ振り返ったが、もう姿はなかった。

660

帰宅中、紙袋が道端に転がっていた。中に猫でも入っているのか、ガサガサと音を立てながら移動する。春だなと思いながら反対側の歩道を通り過ぎるとき、不自然な感じがして、袋をじっと見た。そこには猫の姿はなく、ただ袋だけが次第にぼろぼろになっていくだけだった。

661

新聞奨学生から聞いた話。雪の早朝、配達中に歩道を見ると、新雪にずっとT字型の足跡が付けられていた。誰がどうその足跡を付けたのか気になったので、新聞を配達しながら後をつけていった。だが足跡は途中でトンネルに入ってしまい、最後まで追うことができなかった。

662

買い物に出ていた友人が青い顔で帰ってきた。彼女が言うには、コンビニの前を自転車に乗った巨大な影が走っていたらしい。自転車は通常サイズだが、影はコンビニの軒先よりも背が高く、真っ黒だが立体で、暫く駐車場をぐるぐるしていたが、そのうち去っていったという。

663

道端に数日駐車したままの白い軽自動車があった。買い物の帰りに通りすがると、そこから黒い影が飛び出てきて、襲いかかろうとしてくる。驚いて尻餅を突いてしまったが、影は既になく、停まっていたはずの軽自動車もいなかった。ただ、転んだ拍子に卵が割れてしまっていた。

664

「よう。楽しんでる?」と笑いながら先輩は祭りの喧騒に姿を消した。だが、一分としないうちに道の脇から顔を出す。「よう。楽しんでる?」そしてまた喧騒へと姿を消す。表情も口調も身振りまで、判で捺したように同じだ。四回までは確認したが、内心祭りどころではなかった。

665

ある日、駅前で友人と待ち合わせをしていると、「なあ」と男に声を掛けられた。見回しても誰もいない。「なあ」とまた聞こえた。声のした方をよく見ると、どう入ったか、ビルとビルの隙間の十五センチほどの所に男が嵌まっていて、無表情のままこちらをじっと見ていた。

666

深夜のドライブで、峠を幾つか越えた山道に、進入禁止の看板が出ていた。仕方なく元来た道を暫く戻ると、街灯のない山道を、向こうから着物姿の老若男女が歩いてくる。子供達の手にはヨーヨーに綿飴。薄赤い光に照らされていた。今でもそれが何かは分からない。

第八章

667-730

旅行・旅先・アウトドアに関する話

だとすると、去年の海辺は全く消え失せたのではなく、今もなお現前しているのである。われわれが去年の海の記憶と呼んでいるものは実は去年の海辺自身なのである。

——大森荘蔵「時の迷路」

667

近所のマンションの入り口に、薄暗い影のようなものが立っている。別段何をする訳ではないが、出入りする人の顔を観察して、誰かを探しているようだ。それは暫くすると町内の別のマンションの前に移動し、ずっと出入りする人のことを見ている。

668

沖縄のホテルでの話。室内に据え付けてあるテレビに、無表情な若い男の顔が焼き付いていた。気持ちが悪いなと思ったが、特に動く訳でもなく、別に害もなさそうだったので、そのまま寝た。朝、部屋を出るときにテレビを見ると、男の顔は消えていた。

669

ある女子大の寮には、寮外宿泊者施設という部屋があり、その付近では度々変なことが起きるという。ある学生が夜中に廊下に出たときには、寮にいるはずのないお爺さんが見事なストライド走法でその部屋の前を走っていった。すわ変質者かと大声を出した途端に姿を消したという。

670

夜中に高速道路を走っているときに催したので、サービスエリアで男子トイレに入った。小便器が並ぶ中、その一つの前に立ち、チャックを下げる。そのとき、背中の後ろ側を、作業服を着た中年男が奥に歩いていく。一番奥に行くのかなと思ったら、そのまま壁を抜けていった。

671

林間学校で行ったキャンプ場のロッジで寝ていると、所構わず壁を叩く音が響き始めた。引率の先生を呼びに行き、廊下に座ってもらった。すぐに先生がドアを開け、「壁を叩くんじゃない」と怒鳴ったが、生徒も「先生もやめてください」と叫んだ。双方壁から響く音に怯えていた。

672

早朝、釣りに赴くと、対岸の水辺を徘徊する老人がいた。緑色の服を着ているように見えるが、よく見ると上半身裸で、肌自体が緑色だ。水辺を歩くときに、高く持ち上げる足は、ダイビングで使うヒレのように異様に大きい。恐ろしくなり、その日は早々に竿を畳んで帰った。

673

出張で行ったある地方都市で、夜、繁華街のビルの側面に光る張り出し看板の中に、人が入っているような影が映っていた。こちら側の面に近づいたり離れたりを繰り返す。だが側面は厚みが五センチもなく、通り過ぎて振り返って見ても、裏面には何も映っていなかった。

674

香港に遊びに行ったときのこと。夜、疲れてベッドに倒れ込んだ瞬間に、身体が動かなくなった。同時に八人の影が自分の周りを取り囲み、聞き取れないほどの早口の中国語で捲し立てられた。目が回り始めたが、そのとき扉をノックされた。その直後、動けるようになった。

友人が旅先で廃校になった小学校に泊まった。夜中になると、ボールが跳ねる音が聞こえ、空気がざわつく。どうも子供達が周りを走り回っているようだ。だが、暫くしてまた静かになった。一時間に一度ぐらいの頻度で騒がしくなる。そうか、休み時間なのかと得心がいったという。

河原でキャンプしていたときの話。夜中テントで寝ていると、急に空気が冷えて目が覚めた。外からミットで速球を受けたような音が聞こえてきた。少ししてまた同じ音が響いた。キャッチボールのようだが深夜の河原だ。明かりもない。だが明け方までその音は続いた。

廃墟巡り好きの知人の話。ある廃墟ホテルに足を踏み入れた瞬間、足下から背筋まで冷たいものが走り抜けた。ここはヤバいかもと思いながら探索を続け、奥まで行って戻る途中、廊下に先ほどまではなかった日本人形の山があった。帰宅後、数日間四十度近い熱で倒れた。

昔、親戚が伊東のホテルで働いていたが、絶対に夜は娯楽コーナー脇の廊下は通るなと言いつけられていた。あるとき急いでいたので迂回せずに通ると、パチンコ台が並ぶ一角で、誰もいないのにパチンコ玉がガラス面に当たる音が響いていた。ホテルはその後すぐ潰れたらしい。

679

春休みに旅行先の旅館で寝ていると、「……ノセイダ」という女の声が聞こえた。その瞬間身体が動かなくなり、黒いスーツ姿の女が胸の上に正座していた。顔は見えなかったが、大変な圧力を感じる。心の中でお経を唱えたが、女は「オマエノセイダ」と朝まで繰り返した。

680

中部地方の温泉地での話。温泉に浸かった後、バスタオルで身体を拭っていると、身体の節々に爪で強く引っ掻いたような赤い平行線の傷が付いていた。確認すると、傷は脚や腹、背中にまで及んでいた。痛みは特になかったが、赤い線が消えるのに一週間程掛かった。

681

合宿免許で泊まったホテルは、四階に渡り廊下があり、その天井にサッカーボールが一つ挟まっていた。ある雨の夜、数人が渡り廊下で話をしていると、そのボールが突然落ちてきて跳ねた。放っておいたが翌朝見ると、ボールは以前と同様に挟まったままだった。

682

彼氏との旅行で泊まったホテルでの話。部屋に入ると嫌な感じがした。部屋を変えてもらおうとしたが断られた。嫌な感じが強いのは、二つのベッドのうちの一方だ。仕方なく、彼氏と一つのベッドで寝たが、夜中に目が覚めたとき、空のベッドの上に、人の形に皺が寄っていた。

683

サークルで海辺に合宿に行った夜、砂浜で花火をしていると、一人の女子が叫び声を上げた。何だ何だと皆が集まり、震える彼女に話を聞いた。曰く、花火を見ている間に、手に持っていた携帯が急に重くなった。確認すると、歯を剥いた男性の口が携帯のストラップを齧っていた。

684

高校時代、友人達と湖畔の別荘に泊まった。買い出しに行って戻ると、一人足りない。数時間探し回り、警察に連絡せねばならないかと思ったときに、ひょっこりと姿を現した。ずっとトイレにいたという。そのトイレは皆で何度も確認したし、別の友人も使用していた。

685

旅行先でビジネスホテルに泊まった。部屋に入った瞬間、変に線香臭い。嫌だなと思ったが、他に部屋もないようだったので、無視して寝た。夜、歯茎が痛むのでユニットバスに行き、鏡で歯茎を確認していると、背後のドアを塞ぐ程の巨大な顔が、鏡越しにこちらを見ていた。

686

アウトドアが趣味の友人の話。彼は一人で山奥でキャンプもする。ある年、山に入ってキャンプした晩、時々蒸気機関車のような音が聞こえてきた。テントから出ると、木々の間から列車の光も見えた。不思議に思って、明るくなってから周囲を調べたが、線路などは一切なかった。

687

大学の同じサークルの後輩は釣りが趣味だった。よく早朝に堤防に行って釣りをしていた。ある日、後輩が部屋の掃除をしていると、本棚の後側の壁に何かが光っている。本棚をずらしてみると、数十本もの釣り針が壁に刺さっていた。本棚を置く前には、そんなものはなかった。

688

仲間と河原でバーベキューをしていると、知らない男の子が周りをうろうろしている。近所の子かなと思って声を掛けずに放っておいた。帰りがけに「あの子、いつの間にかいなくなったね」と言うと、仲間は皆不思議な顔をして、そんな子、何処にもいなかったぞと皆が口を揃えた。

689

早朝に投げ釣りをしていた中年男性が見たもの。半袖で薄い水色のワンピースを着た、ガリガリの女性。濡れた髪が地面に届きそうなほど長いが、頭部は肌が疎らに見える状態。顔が砂利でできていて、それがぐるぐる回っていた。怖くてその場を動けなかったという。

690

知人の女性が合宿で伊豆の方に行ったときのこと。海に入る者、肌を焼く者、宿舎で寝ている者と様々だった。彼女は大きな浮き輪にしがみついて遊んでいた。夜、風呂で女子達が騒ぎだした。彼女の赤く灼(や)けた肌に、白くて大きな手形のような痕が幾つも付けられていた。

691

越後湯沢での話。川沿いでの肝試しのときに、墓石に座って微動だにしない男性の幽霊を見かけた。自分以外にも見えている男性がいたので、その場で幽霊の特徴を二人で別々に手帳に書き出し、同時に見せ合うことにした。その結果、全く同じ特徴が書き出されていた。

692

旅先のホテルのベッドで寝ていると、どうにも寝苦しい。何だろうなと思いながらゴロゴロしていると、どうも時々シーツの下がもぞりもぞりと動くように感じる。何とも気持ちが悪いのでベッドから降りてシーツを剥いでみた。マットレスに黒い手形がびっしりと付いていた。

693

旅館の部屋の荷物入れに旅行鞄を入れようと引き戸を開けると、中で正座する不機嫌そうな老人に睨みつけられた。慌てて荷物を運ぶ仲居さんに、「別の所に置いてください」と声を掛けると、彼女は焦ったような口調で、「別のお部屋に御案内させていただきますね」と答えた。

694

出張先でホテルのベッドに横になった。目を閉じると、耳元で意味不明な声が聞こえ始めた。無視していると、次第に大きくなる。疲れてるなと目を開けて起き上がろうとすると、黒い人が背におぶさって一晩中何かを喋っている。やはり聞き取ることのできない言葉だった。

695

仲間五人と古い温泉旅館に泊まりに行ったときのこと。部屋に入ると三人が「ここヤバい」と口を揃える。何がヤバいのか訊くと、窓の外の沢から何か登ってくると言う。とりあえず粗塩を買い求めて窓際に盛った。翌朝、盛り塩は全て溶けて原形を留めていなかった。

696

ある学校の軽井沢の合宿所での話。知り合いがサークルでそこの一室に泊まった。初日の夜、大浴場に出かけた先輩と同期が泣きながら戻ってきて、「もう帰ろう!」と取り乱した姿を見せた。一同で理由を訊くと、脱衣所に、白衣を着た看護師が何人も並んでいたと泣きだした。

697

大阪のホテルに泊まったときの話。部屋に入ると酷く黴臭く、エアコンの掃除をしてないのかと、エアコンを停めて、翌日の資料をまとめていた。すると、カーテンがふわりふわりと揺れる。換気してたっけと窓を確認しても、窓は閉まっている。カーテンは一晩舞い続けた。

698

知人の借りたロッジの話。寝室のドアは、閉めるときにロックが掛かっても、必ず数分で音を立ててドアが開いてしまう。建て付けが悪いんだと言っていたが、「なら鍵掛けようや」と言って一人の友人が鍵を掛けると、微かな音でトントンと、いつまでもノックの音が続いた。

699

旅行先のホテルで深夜に目を覚ました。直後、顔に水滴がぱたぱたと降ってきた。目を開けると、天井の辺りに何か丸いものがある。眼鏡を取ろうとしたが、身体が動かない。その丸いものがすぅと降りてきた。顔の目の前で止まったそれは、老人の頭で、口元から涎が糸を引いていた。

700

出張先のホテルで朝起きると、枕元に置いた眼鏡のレンズに、噛まれた後のガムがべったりとくっついていた。眼鏡は置いたところにそのまま置かれていたし、当然誰も入ってきていない。どうしてそうなったのかは分からない。気持ちが悪い上に、取るのにだいぶ苦労させられた。

701

夏場、祖父所有の別荘で、仲間と合宿をしたときの話。二階にゲーム機を持ち込み、夜中にホラーゲームを遊んでいると、仲間の一人が窓の方をしきりに気にする。理由を訊くと、「いや、気のせいだ」と答える。暫くすると窓が叩かれた。半ズボンに上半身裸の子供が窓を叩いていた。

702

旅行先のホテルで、寝付けずにいると、カーテンの前に何かがいる感じがする。顔を上げると、ノースリーブの白い女性の腕だけがだらんと垂れて浮いている。枕元のライトを点けたが消えない。気持ち悪いのでフロントに電話をしたら、即座に「お部屋の変更ですか」と問われた。

703

宮古島での話。姉の旦那さんの葬式が済み、親戚を車で飛行場に送った。その後、迷うはずもない帰り道で道に迷った。迷って行き着く先は必ず港だった。何度、道を訊き直しても、必ず迷って港に出る。そのとき、あの人は、港で水死したのだったと思い出して納得したという。

704

ダム湖のほとりの遊歩道を散歩していると、急に霧が立ちこめた。後ろから何か重いものを引き摺る音が聞こえる。戸惑っていると、男が霧の中から顔を突き出し、自分を追い抜いて進んでいく。見ると縄で縛った女を引き摺っていた。男女とも半透明で、霧に紛れて消えた。

705

廃墟巡り好きの友人から聞いた話。北関東のホテルの廃墟でのこと。ある部屋に入ると、割れたガラスが散乱していた。その破片の散乱する中心に、女児の靴が置いてあった。刹那、同行の一人が声を上げた。後で訊くと、靴のあった場所に幼稚園児ぐらいの女児が立っていたという。

706

旅行先のホテルで寝ていると、夢の中でショキショキと鋏の鳴る音がする。気になったが、眠くて目が開けられずに朝まで寝てしまった。朝、メイクをしようと洗面所で鏡を見ると、自分の顔に眉毛がなかった。慌ててベッドを見ると、枕の上に短い毛が散らばっていた。

707

キャンプでの体験。地面に置いた荷物を持ち上げようと屈んだときに、違和感を覚えた。細い素足が見えた。自分のすぐ脇に誰かが立っている。つい今まで一人だったはずだ。やけに恐ろしくて頭を上げられない。目を閉じて何処かに行けと祈った。次に目を開けたときには消えていた。

708

宮城県の人に聞いた話。津波で瞬時に流されて、亡くなったことが自覚できなかった人たちが彷徨(さまよ)っている被災地があった。その地区の橋を車で通過すると、路面に誰もいないのに、何か大きなものを轢いたような感覚がある。橋に引っかかって亡くなった人たちの魂だという。

709

旅行から帰宅して荷物を整理していると、バッグの底から古い黄ばんだ封筒が出てきた。何処で紛れたか、と思いながら中を検めると、丁寧に書かれた、筆文字の遺書が入っていた。驚いたが、連絡先も書いておらず、連絡の付けようがなかった。今もその遺書は捨てられないでいる。

710

あるサービスエリアのトイレでの話。トイレットペーパーに手形のような赤い点があり、何だろうと思ってペーパーを引き出すと、一回転ごとに少しずつその赤い点が大きくなる。これは何なのだと思って引き出したところ、ついにペーパーが切れた。芯には赤い点は付いていなかった。

711

ある年の冬、リゾート地でスキーを楽しんでいると、唐突に視界を塞がれた。「だーれだ？」と耳元で囁く声を聴いた瞬間、足下のコブで盛大にひっくり返った。悪質な悪戯を仕掛けたのは誰だと周囲を見回しても、誰もいない。暫くの間、立ち上がる気にはならなかった。

712

沖縄のホテルでのこと。目を覚まして眼鏡を掛けると、視界がおかしい。何だろうと眼鏡をよく見ると、プラスチックの表面をえぐるようにして付けられた傷が、レンズを横断するように水平に三本入っていた。ベッド周りに突起でもあったかと探したが、何も異常はなかった。

713

埼玉県の高校に通っていた知り合いが、寮のイベントで肝試しをしたときの話。数人で歩いていると、不意に立ち止まった女子が、袖の方を気にしながら、小さな声で「やめて」「許して」と繰り返す。その子の袖を見ると、誰かにつまみ上げられているように浮いて変形していた。

714

麦わら帽子に青いジャージ姿で道の縁に腰掛けた壮年の男が、崖下のダム湖を見下ろしていた。車を停めて男のいた辺りを見ると姿がない。崖下に落ちたかと柵に寄っても、何処にもいない。家に帰ってその話をすると、「そこ、幽霊沢山いるわよ」と奥さんが呆れた口調で言った。

715

旅行先で泊まった部屋には姿見があった。夜、寝苦しさを感じ、ライトを点けて起き上がった。そのとき、姿見に映り込むものが気になった。鏡に映った部屋の壁には、楕円形の古い鏡があり、そこに女の顔が浮かんでいた。確かに部屋に鏡はあるが、それには何も映っていなかった。

716

早朝に磯釣りをしているときに、仕掛けを消波ブロックの下に落としてしまった。足下を覗き込んだが暗くてよく見えない。懐中電灯を隙間に当てると、真っ黒な水面が見えたが、そこに何かが丸く浮いていた。顔だった。無数の顔が水面に浮かんでいた。それ以来彼は磯釣りを止めた。

717

大学の研究室の合宿で、ある班は肝試しをしようと海辺に集まったが一人が泥酔しており、先輩が背負って宿まで戻ることになった。宿の入り口で、他の班の先輩から「お前何背負ってきたの」と声を掛けられた。先輩は流木を背負っていた。泥酔していた学生は途中の階段で寝ていた。

718

旅先で友人と寂れた居酒屋に入った。座敷に通されて、「時々変な音がするかもしれませんが、気にしないでくださいね」と言われた。何その変な音って、と笑っていたが、風もないのに障子が不規則にガタガタ揺れ、更に生木の裂けるような大きな音が店に響いて驚かされたという。

719

スキー場のバイトでの話。深夜まで降り続ける雪の中、どさっどさっと屋根から雪の塊が地面に落ちる音がした。続けて男の絶叫と、雪の上に何かが落ちる音。夜中に雪下ろしをして、足を滑らせたのかと外に出てみたが、誰もいない。一晩のうちに何度かそんなことが起きた。

720

友人と行ったグアムでの話。ホテルに泊まった夜に、兵隊の行進する夢を見て魘された。朝、同部屋の友人に、笑い話のつもりでそれを言うと、それは現実だと真顔で返してきた。翌晩も同じ夢を見た。友人はホテルを変えるとまで言い出した。実際にホテルを変えると安眠できた。

721

以前中部地方でオフ会をしたときに泊まった旅館は、微妙に嫌な気配があった。だが皆、酒の勢いで無視していた。部屋で飲み始めて暫くすると、押し入れがガタリと鳴り、何かが這い出る気配がした。気配は隅で酔い潰れている一人に覆いかぶさって消えた。皆、無視し続けた。

722

修学旅行先の宿での話。夜中、自分の足側の壁をコンコン叩く音が聞こえた。隣の部屋の奴が悪戯しているんだろうと無視していたが、音は壁を伝って移動していく。廊下側の壁を経て、頭側の壁が鳴り始めたところで、同級生が「隣に部屋ないよな」と言い出して騒ぎになった。

723

友達と二人で山に登り、夜はキャンプ場に泊まった。深夜友達とトイレに行く途中、林の奥から小さな子供が駆けてきて横をすり抜けた。格好は時代がかった浴衣に草履。こんな夜中に山道で子供がいる訳ないし、疲れているのかと考えていると、隣の友達にもしっかり見えていた。

724

学会で発表を終え、疲れを取ろうと旅館の湯船に浸かっていると、もう一つある湯船に、黒い影が浸かっているのが見えた。先客かなと思って目を凝らすが半透明だ。それとなく仲居さんに言うと、「気にせんでください。悪いものじゃありませんから」と、さも当然のように言われた。

725

知人に聞いた話。長野県のあるダム湖で、早朝の湖面に一人で佇む中年男性の幽霊を見たという。釣りに行った知人がボートから声を掛けたが、まるで無反応で、ただ呆然と佇むだけだった。自分がそこで何をしているかも皆目分からないようで、昼頃にはもう消えてしまったという。

726

キャンプ場近くの沢の上に小さな社があった。随分昔からあるが、岩の上なので誰もそこに灯明は灯さない。しかしお盆の期間だけは、誰が灯しているのか夜通し蝋燭のような光が社から漏れてくる。ただキャンプ場の人も誰が灯しているか知らないという。

727

ある旅館の大浴場に先客が一人いた。その人はずっと湯船に浸かりっきりで動かない。その人と同じ湯船に入って、じっと観察すると、それは黒く透ける影のようなものだった。慌てて風呂から上がったが、確かに脱衣所には荷物もスリッパも見当たらなかった。

728

温泉旅館の内風呂から上がると、球と筒の積み木を組み合わせた、一歳児ぐらいの大きさのものが三体、洗面台の下でうろうろしていた。え？　と声を上げると、三体は慌てた様子で、わたわたと部屋の方に走っていった。追いかけて部屋に入ったが何もいなかった。

729

千葉県の海岸で、友人達とバーベキューをしていると不意に暗くなった。すると、向こうの方から松明を掲げた老人がとぼとぼと歩いてきて、無言のまま通り過ぎ、堤防の向こうへと歩き去った。着ているものは襤褸（ぼろ）で時代がかったもの。全身びしょ濡れ。しかも髷（まげ）を結っていた。

730

旅行先の旅館の部屋が異様に寒い。暖房を点けても体感温度が変わらない。一人が「この部屋ヤバいかも」と、厄除け札が貼ってないか探し出した。暫くして「ねえ、これって」ともう一人が絶句した。襖の裏にびっしりと経文が書かれていた。すぐに部屋を変えてもらった。

第九章

731 - 1000

自宅や自室で遭遇した話

どのような姿でその旅が聞き手に立ち現れるかは、その聞き手によるとともにまた私の「言い現わし方」、つまり「表現の仕方」による。上手な言い現わし方ならばその旅はまざまざと聞き手に立ち現れようし、下手な言い現わし方ではおぼつかない立ち現れしかしないだろう。また聞き手の経験、性格、能力、心構えによっては折角の話し上手も馬の耳に念仏となろうし、あるいは訥々とした話振り（声振り）がかえって生き生きとした立ち現われを呼ぶこともあろう。呪文の効果は話し手と聞き手の呼応によるのである。呪文は一種の祈りなのだから。

——大森荘蔵「新視覚新論」

夜、机に向かっていると、窓に自分の姿が映る。鏡写しに部屋が広がり、廊下に通じるドアが開いているのも見える。だが、実際に振り返ってドアを見ると閉じている。受験勉強をしている間、ずっとドアは開いていたが、いつの間にかそんなことも起きなくなった。

あるとき知り合いが怪談を書いていると、まずは家鳴りがピシ、パシと始まった。続いて背よりも高いところに畳んで置いてあるビニール製のカーテンが、耳障りな音を立てて動きだした。それはついに鎌首を擡げるようにして宙に伸びると、力尽きたように机の脇に降ってきた。

一人暮らしの友人が、ベッドに入って電気を消し、もう寝ようかと思っていると、隣のダイニングから椅子を小刻みに動かすような音がした。何の音だろうと不思議に思ったが、急に眠気が来たので無視して寝ることにした。翌朝、揃えてあった椅子は、全て窓際に移動していた。

子育て中のお母さんの話。ベッドの上でヘッドフォンで音楽を聴いていると、遠くから微かに赤ん坊の泣き声が聞こえてきた。自分の子供は横でぐっすり寝ている。聞き覚えのある声ではなく、何処かの子供が激しく怒ったように泣く声だ。ただ、その声は旦那さんには聞こえなかった。

735

自室での話。ふと夜中に目が覚めると、ドアの辺りに気配がした。「誰？」と訊くと、見たことのない女の子が立っている。モゴモゴと口元が動いていたが、何を言っているか聞き取れない。女の子は音を立てずに近づいてきたので悲鳴を上げようとしたが、声が出ず、意識を失った。

736

夜部屋に帰ると、中から生ゴミの腐ったような臭いがした。「ゴミは出したはずなのに」と思いながら居間の明かりを点けた。蛍光灯の下に黒いいびつな球が浮いていた。腐った人間の頭だった。それはぐるりとこちらに向き直り、床に落ちて広がった。暫く酷い臭いが取れなかった。

737

友人宅では夜中に一人で起きていると、色々なことが起きるという。先ほど電話中も、窓をコンコンとリズミカルに叩く者がいると言っていた。窓のずっと下の方を、軽くノックするようだ。以前も同じような音がしたときに、窓を開けて確認したが、結局原因は分からなかったらしい。

738

深夜、テレビを観終わり、そろそろ寝室に行こうかと立ち上がると、胸の高さに管のようなものが浮いていた。片方の端は、手首がだらりと垂れており、もう片側の端は、長く伸びた腕が、玄関のドアの隙間に続いていた。逃げることもできず、明るくなるまで布団で震えた。

友人の霊能者に、「湯船に気を付けろ」と言われた。しかし数日後には、その言葉をすっかり忘れて長風呂をしてしまった。湯から上がろうとすると、太腿の部分を誰かに押さえられて動けない。のぼせて意識が遠くなりかけたときに、洗面所の携帯が鳴った。件の友人からの着信だった。

夏から賃貸マンションに引っ越した友人の話。ある冬の朝、寒さに目覚めると、家中の窓が全開で、部屋の中にまで雪が積もっていた。その後、年に数度の雪の日だけ窓が全開になることが分かった。大家にも相談したが、過去にそんな話をされた覚えはないと言われた。

起きると、口中に鶏糞を詰め込まれたような、異様な臭気が籠もっていた。丹念に歯を磨き、デンタルリンスを使っても取れない。ガムを噛みつつ駅までの道を急ぐと、すれ違う人々が、次々とこちらを驚いた顔で見ながら通り過ぎていく。会社に着くと同時に臭いは消えた。

知人が彼氏と別れたときの話。初デートの間、彼氏がちらちらと変な目でこちらを気にする。どうしたのかなと思い、帰り際に理由を訊ねた。すると「お前の後ろに、半透明でお前そっくりの女がもう一人いるんだよ。お前怖すぎるからもう逢いたくない」と言われて破局したという。

743

怪談本を連続で何冊も読んだ後に、友人との会合に出かけた。すると友人達が「それどうしたの？」と声を掛けてくる。腕に白い灰で掴んだような手形が残っている。微かに線香の匂いがする。気持ちが悪いので腕を洗ったが、手の形に赤くかぶれてしまったという。

744

友人達と怪談をしていると、一人が「来た」と言った。確かに変な感じがしたので、たまらず中断してコンビニに行く間、皆が踵を誰かに掴まれているような重さを感じた。一人が「後ろからでかい男と女がついてきてる。これ……親子だ」と言った。変な感じは朝まで続いた。

745

金縛りに遭った。足下に真っ黒な女が座っている。その真っ黒な影の首が、ゆっくり伸び始めた。ぐぐっと伸びては少し休み、またぐぐっと伸びては少し休む。気付くと頭部は自分の顔の真上まで来ていた。ぐらりと揺れて顔の上に頭が落ちてきた。女の顔は酷く恐ろしかった。

746

自宅の居間では、夜になると子供の声がする。三歳か四歳ぐらいの女の子の声で、聞き取れないほどの早口で喋る。姿は見えない。最初に気付いたのは娘さんで、「誰かいるよ」と教えられたのだという。厄除けの札を貼ってみたが効果はなく、今でもその声は収まっていない。

747

怪談本に熱中していると、次第に部屋の空気が冷えてきた。何かやばいかも、と思っていると、座っている椅子の座面が、何度も大きな音を立てて落ちた。びっくりして立ち上がり、ネジでも緩んだかと足下を確認したが、椅子は買ったばかりで、ガス昇降式だった。

748

知人には目覚まし時計が憑いているという。目覚まし時計は持っていないのだが、朝になると、自宅、ホテルにも拘らず、自分しか聞こえない電子音で目が覚める。だが問題は、その目覚まし時計が狂っていて、朝五時から九時半ぐらいの間で、いつ鳴るか分からない点だという。

749

大学時代の友人の話。彼女の髪の毛は、一時期磁石に付くようになった。頭から抜いた髪の毛が、棒状の磁石にくっつく。引っぱると、ピンと張った後に、ぷちんといった感じに取れる。皆で、不思議だねと言っていたが、数日したら、磁石に反応しなくなった。理由は分からない。

750

夜、目を覚ますと、大きな頭をした影が、ベッドの足下に立っていた。無視して寝ようと目を瞑ると、足下からしゅーしゅーと息の音が聞こえる。更に無視を続けると、音は止んだ。ほっとして寝付いたが、朝起きると足下のフローリングに、透明な糸を引く液体が溜まっていた。

751

新しいベッドを買ってから半年。ライトを消して横になると、髪の毛が何かに引っかかるのか、必ず一本か二本抜ける。気にしていなかったが、ある時掃除していると、カーテンで隠れる位置に、抜けた髪の毛の毛根が窓にびっしり貼り付けられ、髪の束が生えていた。鳥肌が立った。

752

夜中、不意に目が覚めた、枕元の時計では午前二時半過ぎ。明日早いからまた寝なきゃと思った瞬間、はっきりとした子供の声で、「ち、よ、こ、れ、い、と」と声が聞こえた。何だ今の！と驚いていると、次はもっと近いところから「ぱ、い、な、つ、ぷ、る」と聞こえた。

753

イビキをかきながらうたた寝をしていると、急に口の中に何かが入ってきた。見えない手で下顎を掴まれ、口に親指を突っ込まれる感覚に吐き気がする。無我夢中で噛み付くと、歯が突き立ち、最後に噛み切った感触と苦味が広がった。その瞬間、顎を固定していた力も消えた。

754

快晴の日に、布団を干して出かけた。窓から落ちないよう、布団には水色の布団挟みを二つ付けた。夕方まだ日のあるうちに帰宅して、布団を確認して驚いた。布団の上端に、色とりどりの布団挟みがずらりと並んでいた。誰も侵入した形跡もなく、ドアも鍵が掛かっていた。

755

ある日友人の部屋に遊びに行った。呼び鈴を押すが返事がない。もう一度呼び鈴を押すと、髪を濡らした若い女が顔を出した。彼女はこちらの顔を見ると、無言でドアを閉めた。すぐまたドアが開き、今度は友人が顔を出した。部屋に女はおらず、友人もそんな女は知らないと言った。

756

ある日のこと、友人と一緒にアパートの部屋で話をしていると、ドアが勝手に開き、キッチンとの境にあるガラス戸も開き、続いて背後の窓も開いた。二人で何が起こっているのかと戸惑っていると、何かが歩いていく足音が響いた。友人に確認すると、彼女も足音を聞いていた。

757

コップに水を飲み残して外出した。夜に部屋に帰ってきて部屋の中を見ると、どうもおかしい。テーブルに載せてあるコップの水が空になっており、テーブルの上には指で水をなすりつけたような文字が書かれていた。しかし、既に時間がだいぶ経っていたのか、内容は読み取れなかった。

758

夜中、目覚めると、右の袖口が冷たい。電気を点けて確認しても何も異状はない。首を傾げて袖を捲って再度横になる。次はむずむずした感触で目覚めた。布団が丸く膨らみ、その下の手首が、何かに吸われていた。わあと手を持ち上げると、手首が粘っこく濡れていた。

759

高校生のときの話。家族が皆出払って一人で留守番をしていた。昼寝をしていると、不意に目が覚めた。部屋の障子戸の、下から二十センチほどの位置に、揃えた白い指先が見えた。指先はそのまま障子戸をすっと開けると、消えてしまった。ただそのときは、怖いとは思わなかった。

760

先日友達を呼んでパーティをしたときの話。そろそろお開きというところで、トイレに立ったついでに玄関を覗いた。すると玄関にある靴が、全部左右入れ替わっていた。誰の悪戯かと慌てて全て左右を直したが、後で靴箱の中を見ると、そこも全て左右が入れ替わっていた。

761

蔵の大掃除をしていると、奥から真っ青な顔の父親が出てきた。何があったのかを訊くと口ごもる。父を促し、二人で蔵の奥に向かうと、茶箱や箪笥で囲まれた一角に、クレヨンで絵や文字がデタラメに描かれていた。もう何十年も幼い子供は蔵に入ったことはない。

762

彼女と同棲中の話。寝ていると彼女に起こされた。「何か黒い汗かいてる」と言われた。確かに枕カバーに黒い染みができていた。枕カバーは捨てて枕は干した。だが枕は異様に重くなり、持ち上げるのに苦労する程になったので、すぐに捨てた。黒い汗をかいたのはその一回だけだ。

763

ある日、目の奥が痛むので眼科に行った。眼球の裏に異物があるという。取ってもらって「何が入っていたんですか？」と訊くと、「髪の毛でした。時々ありますね」とのこと。興味本位で見せてもらって驚いた。細くて長い髪の毛だった。そんな長い髪の毛には全く身に覚えがない。

764

こたつで寝転がりながらゲームをしていると、妙な寒気を感じた。ふと窓の方を見ると、カーテンの下に何か白いものが出ている。二本の裸足の脚だった。驚いて上半身を起こそうとしたが、身体が動かない。脚はこちらに向かって歩きだし、すぐ目の前で頭を飛び越して消えた。

765

真夏の夜。アパートの流しで蛇口を捻ったが水は出なかった。断水かとトイレの水を流すとちゃんと流れる。腹が立ったので蛇口を捻ったまま放っておいた。暫く経つと流しに水滴の落ちる音がする。蛇口から氷柱（つらら）が伸び、その下の端から水滴がぽたぽたと垂れていた。

766

夜、目が覚めると、腹の上に白い脚が立っていた。視線を上げると、女のようだが、膝より上は暗くて見えない。すると、「そんなに見たいか！」と女の声がした。身動きも取れずに返事もできないでいると、「まだ見たいか！」と響いた。必死で視線を逸らすと、もう朝だった。

767

自宅のトイレで用を足していると、ボタンを押していないのに、洗浄便座が自動的に動きだし、強い勢いで放水し始めた。ボタンを押しても調整できず電源を抜いたが、それでも止まらない。結局一時間ほど待ち続けた。最後流すときにぎょっとした。便器の水面が真っ黒だった。

768

友人の部屋には、切った爪が落ちていることがあるという。それだけなら自分の爪を切ったときに飛ばしたものだろうと考えられるが、その爪の色は真っ赤で、長さも二センチぐらいある。友人は男性で、マニキュアをしたこともない。心当たりのある人もおらず、気持ち悪いという。

769

仲間内で百物語をしていると、何処からともなく南無阿弥陀仏と繰り返し唱える声が聞こえてきた。青い顔をしていると、ある先輩が「自分で念仏を唱えているなら、そろそろ成仏するだろうから心配なかろ」と言った。その瞬間念仏は止んだ。成仏したかは定かではない。

770

一人暮らしの友人が風邪を引いた。鼻水が酷く、ベッドの下にティッシュとゴミ箱を置いて床に就いた。時折片手でベッド下のティッシュを指に挟んでつまみ上げては鼻をかむ。夜になり、手をベッドから出すと、氷のように冷たい手に指先を握られた。声を上げて飛び起きたという。

771

玄関が開く音の後、何かが走ってくる足音が続いた。泥棒かと思ったが、足音はそのままベランダへと直進しその直後に消えた。その間十秒ほど。すぐに確認しに行ったが、玄関の扉には鍵が掛かっており、窓も閉まったまま。だが四十センチほどもある足跡が残っていた。

772

怪談会に行って帰宅すると、どうも首の後ろが痛い。「どうかなってる?」と家人に訊くと、「一本線が入って赤くなってる」と言われた。どんなものだろうと写真を撮ってもらって確認すると、心当たりのない剃刀ですうっと切ったような傷が、首の後ろに一本浅く付いていた。

773

都内の女子大に通う学生の話。大学から帰ると、アパートのすぐ前で、突然自分の身体が汗と尿を混ぜたような強い臭いに包まれた。鼻が痛み、吐き気が込み上げた。急いでユニットバスでシャワーを浴びたが、数日間は臭いが取れていない気がしたので、部屋から出られなかった。

774

雪の降った日の朝、起きると部屋の勉強机に掌サイズの雪だるまが置かれて、散乱したプリント類が濡れてしまった。起きてきた家族に、「誰か雪だるま置いたでしょ」と訊いたが、誰もやってないと言う。家族全員が機嫌を悪くするほどしつこく訊ねたが、誰も認めなかった。

775

引っ越し祝いに友人の家に遊びに行った。新しいアパートだが微妙に居心地が悪く感じる。友人がキッチンで手土産の桃を切っている間、居間に一人で残されたが、そのときフローリングの上を大きな真っ黒い人影が横切っていった。そのことは友人には言えずじまいだった。

776

中国からの留学生に聞いた話。彼女が高校生のときに、朝起きると肩に何かが乗っているような重みを感じた。それは次第に重さを増し、ついに椅子から立ち上がれなくなった。机に突っ伏している彼女を心配して近づいてくる同級生達も足が攣りだし、クラス中が大騒ぎになった。

777

学生時代によく体験した話。夜寝ていると、勢いのいい笛の音が部屋の中に響く。しかし、その笛の音は一般的な笛の音量ではない。録音した後で小さく再生しているように微かな音だ。耳鳴りでもないし、探してみても、そのような音がするものは部屋の中になかった。

778

知人は狭い所が苦手だという。狭い所に一人でいると、黒い女が現れるのが理由らしい。エレベータの中や、トイレの個室、自家用車、そのような場所に一人でいると、死角からいつの間にかその女が現れ、真っ黒な顔に目だけを爛々と光らせてこちらをじっと見ているという。

779

トイレで用を足した後、便座から腰を上げようとしたとき、後ろから髪を手でかき回されるような感覚があった。慌てて頭に手をやるが、髪が崩れている気配はない。そのままトイレを飛び出して、「寒気であぁなったんだ」と自分に言い聞かせた。

780

友人は肩が凝ると、首を左右に振って関節を鳴らす癖がある。ある日、根を詰めて仕事をしたので、大変肩が凝った。伸びをして両肩を上げ下げし、さて首を左右に振ろうとしたとき、すぐ背後で、ごきごきっという音がした。気勢が削がれて、その場で首を振るのはやめておいた。

781

自宅の湯船に入っていると、左肩に水滴が落ちてくる。見上げても、別段水滴が溜まる部分がある訳ではない。気になったので普段と違う姿勢で湯船に入ったが、それでも左肩に水滴が降ってくる。どんな姿勢でも降ってくるので、諦めて毎晩肩まで湯に浸かるようにしている。

782

家族の寝静まった深夜に仕事をしているとき、トイレから帰ってくると、寝ているはずの三歳の娘が仕事机に座っていた。「起きちゃったの？」と声を掛けたが、ニコニコして返事をしない。抱っこしようと手を伸ばしたら消えたので、慌てて寝室に行ったが、当人は大の字で寝ていた。

783

歯を磨き、もう寝ようと自室に戻った。ドアを閉めようとしたが、何かに当たって閉まらない。もう一度ドアを強く引いたが、やはり何かに当たる。振り返ると、ドアの足下に男の顔が挟まっていた。それ以来その自室のドアは、閉めてもいつの間にか開くようになってしまった。

784

大学入学とともに、池袋でアパートを借りた。ただ一階の奥の部屋の前に、いつもドアに寄っかかるように人が立っている。若い女性のこともあれば、老人、作業服を着た男のこともある。不思議に思ったので、隣の住人に訊いてみると、「あの部屋は出るんだよ」と声を潜めた。

785

引っ越した先でノックの音に悩まされることになった。二階の角部屋だが、昼夜を問わずに部屋中のドアや壁が叩かれる。流石に堪え兼ねて神棚を買ってきて設えてみた。すると神棚のある側のドアと壁についてはノックは収まった。今はしつこく鳴る他の壁をどうするか迷っている。

786

机の下で、空き缶の転がる音がした。何を蹴飛ばしたのかと、身を屈めて覗き込むが姿がない。缶飲料は飲まないし、空き缶もないはずだ。納得いかずに書棚の陰やゴミ箱の裏を探したが見当たらない。気のせいかと思った瞬間、カン、コン、カラカラカラ、と、また音が響いた。

787

高校生から聞いた話。風呂上がりに寝室に行くと、布団が等身大の人形を入れたように膨らんでいる。布団乾燥機かと思って見ていると、布団の膨らみがもぞもぞ動いたので、その場から逃げた。両親と再び二階の寝室を見に行くと、そこには畳まれた布団があるだけだった。

788

夜中、自宅の玄関で「よいしょ」と小さな声が聞こえた。外で何かやってるのかと思って玄関に向かうと、黒い半透明の影が、押して開けるドアを一生懸命引いている。そこから声が聞こえる。影は一心不乱に扉と格闘していたが、どう対処していいか分からないので、放置して寝た。

789

アパートの二階に住む知人は、爪を切るときに爪の切り屑を窓から捨てるのが習慣だった。ある日いつものように爪を捨てると、向こう側から「こら」と声がした。誰の声だと思い、窓から外を見たが誰もいない。切った爪を投げ捨てると、切った爪が窓からばらばらと飛び込んできた。

790

高層マンションに住む義理の弟が、リモートで仕事しているときの話。ＰＣの画面に背後のガラスが反射していた。そこに逆光で丸いものが映り込む。振り返ると、すっと横に引っ込む。どうも中年男の顔のようだ。何度か続いたので、家にいるときは背後の窓のカーテンを閉じている。

791

住んでいる部屋の押し入れは、夜になると中から音がする。ガサガサ、ガサガサと紙袋を潰すような音だが、開けてみても段ボールや押し入れ収納ばかりで、紙袋はない。そもそも住み始めた頃にはそんな音はしていなかったが、ここ最近頻繁に音がする。週末お札を買いに行く。

792

知人の娘さんが二歳の頃の話。自宅で「きらきらがいた」と繰り返す。知人が「きらきらってなぁに？」と聞き返しても「きらきらーきらきらー」と飛び跳ねるばかり。ずっと手を握っているので訝しんだ彼女がその手を開くと、買った覚えもない小さな金平糖がキラキラしていた。

793

駅から徒歩十分の所に格安で借りた家は、入居したときからやけに暗い印象があった。廊下の辺りから誰かが見ている気がする。時々ぱたぱたと走る足音もする。ある朝、起きると、目の辺りが真っ黒な子供に顔を覗かれていた。驚いて瞬きをすると消えた。怪異は今も続いている。

794

布団で寝ていると、爪先に違和感を抱いた。髪の毛のようなものが当たる。何かなと足先で触っていると、足全体が飲まれ、ふくらはぎまでざわざわした感触がした。えっと思って布団を剥ごうとしたが動けない。それは布団に入っている部分全てに広がったが、そのうち治まった。

ドイツに留学していた友人の話。ハロウィンの夜に、下宿の箪笥から着飾り仮面を付けた小人達が列を作って窓から出ていった。その数十五体から二十体。手には鋏や針を持っていた。夢かと思ったが、翌朝、窓枠に小さな足跡が付いていたので、本当だと思ったという。

実家のマンションでトイレに入ると、自分が入ったときだけ、酷く電球がちらつく。他の家族は誰もそんな経験はない。ただ弟はそのトイレで般若(はんにゃ)面の女や、うっすらとした女の影を見たことがあるらしい。両親は気にしていないが、帰省する度に奇妙な経験をするのが悩みの種だ。

書斎で仕事をしていると、血相を変えた長女が飛び込んできた。玄関で何やら大きな音がして、急にドアが開いたという。怖かったので振り返ることもできずに逃げてきたらしい。一緒に玄関を確認しにいくと、綺麗に並べておいたはずの靴が全てひっくり返っていた。

書斎にしている小部屋に入ると、竜巻が起きたかのような惨状が広がっていた。念の為に窓を確認すると閉まっている。留守の間、誰も部屋に入っていないという。書類ボックスに入れて床に並べておいた数百枚の紙が、机の上や、本棚、プリンタの上などに散乱していた。

知人は、酷く体調の悪いときに限って、「あちら側の人」が視える。普段、体調が良いときには視えないし、あちらからも近寄ってくることはない。ただ、体調が悪いと視える上に、近寄ってくるという。「だから私にとって健康管理は大事なんです」と真剣な顔で彼女は言った。

800

実家の北は寺、西は墓地だ。ある日ごろ寝をしていると、何かが入ってきた気配がした。寺に行きたいお化けかと無視していると、すぐ背後の畳がミシッと鳴った。その直後、背中を蹴られた。痛かったが全身が痺れて動かない。二の腕も蹴られた。風呂で確認すると痣が残っていた。

801

昼間、夜勤に備えて布団の中に入ると、目の前に固く握られた薄青い拳があった。何だこれと思ってじっと見ていると、その拳が突然顔面を殴ってきた。衝撃と痛みに、「何だっ！」と叫びながら立ち上がったが、拳は消えていた。殴られた後は青あざになって、暫く消えなかった。

802

そのアパートでは土砂降りの雨が降ると、ずぶ濡れでざんばら髪の痩せた女が、敷地内をうろつくという。女は一階の窓を引っ掻いたり、引きつるような笑い声を上げたりするが、住人の誰もがこの世の者ではないことを知った上で無視している。関わると酷い目に遭うからだという。

803

三階の自室のベッドで寝ていると、午前四時に不意に目が覚めた。気配を感じて目をやると、雨戸が閉まっているのに、窓から白い服の女性の上半身が入ってきた。上半身は寝室の空中を移動し、壁を突き抜けて消えた。翌日同じことがあったが、今度は下半身だけが抜けていった。

804

娘はベビーシッターの女性といると、毎回酷く泣き叫んだ。どうも彼女の背中にいる何かが怖いらしい。泣き方が酷いので、試しにお祓いに行ってみるように頼んだ。彼女は半信半疑で神社にお祓いに行った。その翌日から、娘は彼女と二人でいて泣くことは一切なくなった。

805

散歩の途中で幼い娘が民家の壁に駆けていき、「みみー、みみー」と繰り返した。壁を見ると、石膏で型取りされたような真っ白い耳が、壁面に塗り付けられていた。何かのアートなのかとも思ったが、娘がその耳の一つを掴もうとした瞬間、壁の中にするっと潜っていった。

806

学生時代のアパートには小さな庭があった。夏になると真夜中過ぎに、庭の隅から数人で喋る声がした。網戸にしていると、ぼそぼそと声が聞こえるが姿は見えない。気味が悪いので毎年夏は早めに帰省した。先日所用でそのアパートの近くまで行ったが、もう更地になっていた。

807

後輩の下には、時々変なものが来る。「紙、いや影？　薄くて細くて、高さは幼稚園児ぐらい。ただじっとしてるかと思ったら、すぐ近くにいたり」と言った後で、「あ、います。そこに」と続けた。彼女の指差す先には針金のようなものが立っていた。

808

阪神大震災の前日、夜まで友人と遊んでいたら「明日西で地震が起きる」と言い出した。そのまま別れたが、翌朝テレビで惨状を観て、思わず彼に電話を掛け、「テレビ観ろ！」と叫んだ。彼はテレビを点けて、「俺のせいじゃないからな！」と大声を上げた。

809

マンションのエントランスの集合郵便受けの蓋が、時々カタンカタンと音を立てる。不思議に思っていたが、ある日、腕を伸ばして郵便受けを上から下まで次々に探っている背の低い老婆がいた。こちらを振り返ると、はっとした顔で消えたが、蓋はまだ音を響かせていた。

810

友人が遊びにくるというので部屋を掃除していると、友人からメールで「お前の部屋の窓の外に、ぶら下がってる奴がいる」と連絡があった。窓を開けると友人が両手でぶら下がっていた。手を貸そうとすると、ドアから友人が入ってきた。その直後、窓の外の友人は消えたという。

知人の義父は、認知症を患っている。話していると時々、話が通じるときもある。ある朝、義父に声を掛けると話が通じた。少しの時間一緒に話していると、だんだん聞き慣れない声になっていく。ついには中年男の声になり、最後に「お前(めえ)、誰だ？」と問われた。

一人暮らしのアパートで酒を飲んでいるときに、トイレに行きたくなった。ふらつく足でトイレまで行き、ドアを開けると、一人の男が座っていた。「あ、失礼しました」と言ってからおかしいと気付いた。もう一度ドアを開けたところ、誰もいなかったが、臭いが残っていた。

漫画家の友人が夜、散歩していると、ある家の前に、通りに背を向けて蹲っている女性がいる。生け垣の隙間に顔を突っ込み、中をじっと覗いている。この人何をやってるんだろうと見返すと、輪郭部分はぼんやり白く光っているが、その内側は半透明で向こうが透けて見えた。

ある夜、遊びに来た友人夫婦が帰宅するのを見送った。二人が出た後、マンションの部屋のドアを閉じ、何となく気になったので覗き穴から確認してみると、二人の後ろに赤いワンピースを着た女が立っている。えっ！　と思い、ドアを再度開くと、友人夫婦しかいなかった。

815

玄関に入ると、廊下の奥の扉の向こうから、ざーっと何かが動く音が伝わってきた。掃除ロボットのタイマーを掛けてたっけと、靴を脱いで居間に向かう。動く物が壁に当たる音が聞こえる。「ただいまー」と声を掛けてドアを開くと、先刻までの音が急に止んで、無音になった。

816

電話を受けて、友人のアパートに向かった。窓の下に変な女がいて、ずっとこっちを見ているという。庭に回ると異様な風体の何かがいた。薄い身体にコート姿。異常に長い腕を二階の窓に伸ばしている。わあ、と声を上げると、こちらを向いて目と歯のない口を大きく開けて笑った。

817

書斎で怪談を書いていると、何者かの指で髪の毛を摘まれることが多発した。他の用件でキーボードを打っていても起きない。指は、髪の毛を摘まんだ後で、こよりを撚るように弄る。そこで坊主頭にしてみた。髪の毛は摘まれなくなったが、肌に指先が直接触る感触がする。

818

椅子でうつらうつらしていると、大仏のように巨大な掌が、向こうの方から飛んでくる夢を見た。だが、その掌が夢の中で顔にぶつかった瞬間、強い衝撃が身体に伝わり、ひっくり返った。椅子から転げ落ちた痛みよりも、顔面と首に残る衝撃が印象的だった。鼻血が出ていた。

819

湯船に刻んだ脂の塊状のものが浮いていた。目を閉じて再び開くと、目の前でぷちぷちと分裂して増えた。驚いて立ち上がると、風呂が背脂ラーメンのような臭いで満たされた。一度風呂から出て、少し経って様子を見にいくと、塊は既に消えていたが湯には分厚い脂膜が張っていた。

820

寝室で横になると、天井に、見覚えのない直線状の影が横切っていた。あれ？　この影何だろう、と思い、何処に影の主があるのかと目で追った。だが視界には、影を作る光源も、影の主らしきものも見当たらない。変だなと思いながら寝た。幸い次の夜にはその影はなかった。

821

長い間会っていなかった友人を夢に見た。夢の中で彼女は赤ちゃんを抱いていた。朝起きて不思議に感じたので、友人に電話を掛けた。そのときは通じなかったが、夜になって友人から電話が掛かってきて、今朝赤ちゃんが生まれたと伝えられた。朝の夢のことを話すと大層驚かれた。

822

夢の中で子供と手を繋いで散歩中に、足下が崩れた。だが縄が降ってきてそれを必死で掴む。子供を右手で支え、左手で縄を掴んでいる。手が滑って下に落ちかけるが、無事持ち上げられる。そこで目が覚めた。起きて掌を見ると、左の掌全体が火傷のように水ぶくれになっていた。

823

布団に入って寝付くまでの間、直接誰かが顔に息を吐いているような生臭い風を感じた。何度も吐きかけられたが、窓や扉は閉めているので風は来ない。飼い猫かと目を開けても何もいない。風の来る方に向かって一回息を吹きかけると、口を平手打ちされたような衝撃を受けた。

824

高一の頃の話。寝ていると目の裏側に、ざーっと砂嵐みたいなものが見えた。意識ははっきりしているが身体が動かない。無理矢理目を開けようと頑張っていると、耳元で「駄目よ」と艶めかしい声が聞こえた。身体を横にして寝ると起きるので、声聞きたさに、いつもそうして寝ていた。

825

夜中、怪談を読んでいるときに戯れにお経の音源を流してみた。すると、黒い影がベッドの両脇に立ってすすり泣く声を立て始めた。怖かったのでお経を止めようとしたときに、小さく「ありがとうございますありがとうございます」と呟く声が聞こえた。お経はリピートさせて寝た。

826

知り合いの女性は、上着を何処かに引っかける率が異常に高い。急いで出かけようとしても机の角やドアノブなどに引っかかって手間取ってしまう。ある日、彼女が部屋を出ようとすると、上着の裾から白い手がすっと伸びて、上着を突起に引っかけるのを旦那さんが目撃していた。

827

同僚の住むマンションは十階建てだが、十階はほとんど人が居着かない。ある日、同僚宅に遊びに行ったときにその話になった。理由を訊くと「まぁ、ついてきな」と言う。一緒にエレベータに乗って十階まで行くと、「上を見てみな」と言われた。天井から、足がぶら下がっていた。

828

ある夜、ベッドで横になっていると、枕に押し付けている耳に、ポコンポコンと音が聞こえた。何だろうと頭を上げると音は消えた。だがまた横になるとポコンポコンと鳴る。頭の向きを逆にすると、下にしている耳にだけ聞こえる。枕が鳴っていた。音は数日続いて止まった。

829

知人は何か怖いものが近くにいると、口の中に独特の甘味が広がるらしい。子供の頃からその甘味が好きで、怖いことも色々と体験してきた。だが最近、その味がしているときは酷い口臭になると気付いたという。彼は「変な体質です。なかなか上手くいきません」と笑った。

830

洗面所にいる父親に呼ばれて、何か用かと洗面所に向かった。すると、困り顔で髭(ひげ)を剃る父親の後ろに、父親よりも背が高く、普通の人間の半分ほどの幅の女性が立っている。驚きの余り、指を差して大声を上げると、その女性は風呂の換気扇の中に吸い込まれるようにして消えた。

831

近所の幼稚園の廃墟は放置されて十年以上経つ。特に備品がある訳でもなく、工事の予定も訊かないにも拘らず、警備員が立っているという話が定期的に聞こえてくる。あるとき、そこの前を通ると警備員が立っていた。ただ全身から青白い燐光を放っていたので迂回して帰った。

832

夕飯後、母親が洗濯物を干しに行ったので、すぐ手伝いに向かった。部屋を出た途端、下から気配を感じた。床から鬼気迫る形相で見上げる母がいた。見開いて黒目の全く動かない目、人が開けるとは思えないほど大きく半月に笑う口。今も鮮明に思い出せるが、母は知らないという。

833

知人のアパートでは、一人で静かにしていると、決まって電灯が揺れて、何かを叩く金属音が繰り返すという。ただテレビを点けておくとその現象は起きないと気付いたので、そのアパートにいる間、ずっとテレビを点けっぱなしにしていた。毎月の電気代が凄かったという。

834

ある朝、目を覚ますと、リビングにアンモニア臭のする水滴が落ちていた。周囲を見ると、水滴は、点々と玄関にまで続いていた。ドアを開けて外を見ると、水滴の跡は外にまで続いている。動物の小便か何かだろうとは思ったが、ドアには内側から鍵が掛かっていた。

835

春の夜、猫の声が響いていた。気付くとその声が近づいてきている。しかも声が人間の赤ん坊の泣き声になり、窓の下の庭から聞こえる。「あれは猫だ」と自分に言い聞かせながら震えていると、声は更に近づいてきた。ついには部屋の磨りガラスに、大声で泣く人の顔が張り付いた。

836

大学の夏休みの間に実家に帰省して戻ってくると、鍵穴に両面テープが貼ってあった。悪戯かと思いながらテープを剥がして室内に入ると、壁中に両面テープが貼ってある。「誰か入ったのか？」と思ったが、よく見るとテープではなく何か粘着質の液を擦り付けた痕のようだった。

837

午後遅くなって腹も減ったので、カップラーメンに湯を注いで蓋をした。蓋の間から溢れた湯気が、何故か自分の方に向かって漂ってくる。逃げても湯気は追いかけてくる。どう避けても追いかけてくる。そうこうしているうちに三分が経った。その直後に湯気は消えた。

838

風邪で寝込んでいるときに、何度も夢を見た。周囲を子供がばたばた走り回る夢だ。男女二人ずつで年齢は三歳ぐらい。「静かにしてくれないかなぁ」と思いながら目覚めると、周囲は静かだ。時計を見ると午前五時。皆寝ている。だが、風邪を引く度に同じ時刻に同じ夢を見る。

839

夜中、不意に目が覚めた。横に人の気配がする。女だ。長い髪。自分の顔にその髪の毛が当たっている。常夜灯を灯しているはずなのに真っ暗だ。目が開かないのか。身体も動かない。そのとき女がくすりと笑って言った「もげるわよ」の声に、え？　何が？　とパニックになった。

840

ある女性の話。アパートに引っ越してすぐの頃のこと、洋式トイレで座ろうとすると、便座がいつも上がっている。前の住人とは友達なので、その話を相談すると、「凄く懐かしい」と言う。友人のアドバイスでトイレを隅々まで綺麗に掃除すると、おかしなことは起きなくなった。

841

若い頃は、安酒を買ってきて、家で呑むことが多かった。ある日、変な悪寒を感じたので、酒を呑んで温まろうと、酒をコップに注いだ。一瞬目を離した隙に、注いだ酒の水位が一気に半分ほども下がっていた。その後、何処からともなく、「まともな酒はないものか」と声が響いた。

842

怖い話をすると、耳の奥に小さな音が聞こえ始める。鼓膜の辺りで鳴るトートトトという連続音だ。以前は自分から怖い話をするときにだけ、その音が聞こえたが、最近は何もしていないときにも聞こえるようになった。それが何でもないときに聞こえ始めてから、余り運が向かない。

843

風呂の天井から、天井裏に登るためのハッチがある。ある日、頭を洗っているときに、ハッチがずれていることに気付いた。「あれ、おかしいな」と思ったが、今は両手が泡だらけだし、後で何とかしようと思って頭を洗い終えた。見上げると、そこから何かがじっと見ていた。

844

就職活動中の大学生から聞いた話。ある夜、頭の大きい女性が何かを説明をしている光景を夢に見た。印象に残ったので日記に髪型や服装などをメモしておいた。数日後、ある企業の説明会で、その女性が説明担当になった。家に帰って日記を見返し、不思議なこともあるなと思った。

845

受験生当時の話。自室に入ると、見知らぬ老婆が部屋の中央に正座していた。回れ右で一度居間に戻り、家族に話したが誰も信じない。姉ちゃん疲れてんだよと、弟が一緒に来てくれた。再びドアを開けると、やはり老婆が座していた。彼女は顔を伏せてそのまま消えた。弟は逃げた。

846

書斎で仕事をしていると、稀に紙の落ちる音がする。何か落としたかと思い、足下を見ても何もない。そんなのは序の口で、何もしていないのに空のボール箱が落ちてきたり、他にもキ、キ、キ、と、針金を張りつめたような音がしたりと、次第に怖くなってきている。

仕事帰りに汗を流そうと銭湯に寄った。作業衣を脱ぐ。上半身が脱衣所の鏡に映る。ひとっ風呂浴びようか。ふと目に入った鏡の中の自分の背中が、真っ赤なことに気付いた。首を伸ばして確認すると、強く叩かれたときのような手形が一面に浮き出ており、一部は内出血していた。

深夜自宅の二階で寝ていると、一階で寝ている祖母がトイレに行った音がした。その後、玄関が開く音とドアに括り付けてある鈴の音がした。何でこんな時間におばあちゃん外に出てるんだろうと思い、翌朝祖母に昨晩何してたのと訊ねたところ、トイレにも起きてないよと言われた。

独りでビールを飲んでいるときに、空にしたはずの缶を持ち上げると、中身が半分くらい残っていることがある。一回なら勘違いで済むが、三回同じことが繰り返されると、何かが悪戯しているとしか思えない。ただ毎晩のように起きるので、もう慣れてしまった。

風呂上がりに明かりの点いていない部屋に何となく目をやった。すると男性の脚のようなものが見えた。怖くなって一度視線を外して見返してみたが、まだ見える。天井からぶら下がっているようだ。爪先が濡れていて、その下から水滴の滴る音が聞こえてきた。

851

洗面所に大きな鏡がある。最近、その鏡に誰のものか分からない手形が着いている。家には自分以外にも、母と弟が住んでいるが、その三人の誰の手形とも形や大きさが合わない。鏡は毎日ピカピカに磨いているが、手型は一週間に三回程度現れる。何か悪いことが起きないか心配だ。

852

知人は、いつも視線を感じるとこぼしていた。最近は「夜、何故か布団が温かい」とか「留守の中、机の上の物の配置が換わっている」とやつれた顔で言う。相談された側も「ストーカーでもいるんじゃないの？」と心配していたが、最近になって生き霊の仕業だと判明したらしい。

853

中学生の頃から続いている夢。台所に立っている。壁一面には墨汁で「死」と書かれた半紙が貼られている。その墨が重力に引かれて徐々に一箇所へ集まり、足下に迫ってくる。足を掴まれたところで目が覚めるが、足には毎回その感覚と、墨で塗られたような黒い痕が残っている。

854

女子大に通う学生の話。アパートに戻り、ドア脇のスイッチでキッチンの電気を点けた。オレンジの灯火の下でブーツを脱いでいると、引き戸の向こうの居間から、突然馬のいななきが聞こえてきた。怖かったが思い切って引き戸を開いた。白い人影が馬の鳴き真似をしていた。

855

家族は自分を残して、皆死んでしまった。皆死ぬ前に、「家の前に立ってるあの家族に謝らなきゃ」と言って、一度玄関を出ると、すぐに戻ってくる。そしてその夜に息を引き取る。そんなことを何度も繰り返してきた。いつ自分のところにその家族が来るのか気が気ではない。

856

一人暮らしの友人のマンションでは、時々変なことが起きる。先日はキッチンの入り口から白く細い腕が伸びていた。彼女が近づこうとすると次第に引っ込み、キッチンに辿り着いたときは腕は跡形もなく消えていたという。「からかわれてるんですよ」と彼女はやつれた顔で笑った。

857

大学時代の話。夜、試験勉強をしていると視線を感じる。振り返ってみても当然何もいる訳でもない。怖いなと思うほど、余計に怖くなった。ただ、気のせいだと自分を言い聞かせ、ふぅとため息を吐いた。そのとき気付いた。机の下に蹲る子供が、下から見上げていた。

858

五十代の女性の話。寝室での睡眠中、毎晩のようにベッド脇に若い女が立って手を引く。なので居間に布団を敷いて寝ていた。だが最近は夜中に家の中を移動する音が始まった。夜中に確認すると、三人の若い女達が裸のままの姿で廊下を這い回っていた。

859

五十歳まで彼女のいたことのない友人が、最近人が変わったように明るくなった。彼女でもできたのかと訊くと、毎晩金縛りに遭うが、濡れた若い女が横に寄り添って「一緒にいてね」と囁かれるという。「でも、すぐ消えちまうんだよ。一体どうすればいい?」と、聞き返された。

860

古本屋で文庫本を買い、家に帰って開いてみると、本の中心が、煙草でも圧し当てたかのように焦げていた。あぁ損したなと思って机の上に置いておいた。夜、何か焦げ臭くて目が覚めた。机の上に置いておいた先ほどの文庫本から煙が上がっていた。火の気は何もなかった。

861

知人の部屋では深夜二時過ぎに、規則正しくタンバリンを叩くような音が聞こえだす。その時間に起きていると耳鳴りがして、その音が遠くからやってきて暫く留まる。ずっと気付かなかったが、泊まった友人から、「昨晩の曲、何?」と不安げに訊かれたことで発覚したという。

862

風呂で座って頭を洗っていると、背後に気配を感じた。シャワーを止めて耳を澄ますと、床の辺りから、ぞぞ、ぞぞ、と微かな音がする。背筋が凍ったが、シャワーの水勢を最大にし、顔に付いた泡を流して振り返った。排水溝から大量の真っ黒い泡が流れていくのが見えた。

863

魔女を見たことがあるという話を聞いた。夜、明かりを消した部屋を影がよぎったので、窓から外を見た。すると月明かりに照らされた人が、箒のようなものに跨（また）がって飛んでいる。寝ぼけたか気のせいだろうと思っていたが、翌朝学校でも何人かが魔女を見た話をしていた。

864

金縛りに遭うと、周囲からクラシックの曲が聞こえてくる。知った曲もあるが、圧倒的に知らない曲のことが多い。金縛りに遭った翌日、音楽の先生をしている奥さんに、「こんな曲知ってるか？」と訊ねると、「多分これ」とCDを掛けてくれる。必ずモーツァルトの曲だという。

865

夜起きて居間を抜けてトイレに向かうと、居間と廊下を隔てるドアが一枚の巨大な掌になっていた。指を揃えてこちらに向けた掌は、まるで仏像の掌のようだった。そのときは、何故か怖い気もせず、その掌を押してみた。柔らかい赤ちゃんの肌のような感触だった。

866

家人が帰省中で一人の朝、出社前に必死で靴下を探していた。何故か見つからない。洗濯機の裏もベッドの下も探したが一足もない。仕方なく出社途中で靴下を買った。帰宅すると帰省から戻った家人の機嫌が悪い。「何で履いた靴下を食卓に積んでおくの」と言われた。

867

友人は元々「見えない」人だった。しかし、ある日、眼鏡が壊れてレンズが片方外れてしまった。眼鏡屋に行く途中、歩き易いように片目を閉じていると、蹲る人や形のおかしな人などの不思議な人達が見え、幽霊だと直感した。今ではなるべく片目で外を見ないようにしている。

868

街を歩いていると、足の親指に違和感があった。何かに噛まれている。だが信号が変わり始めたので、急いで渡ろうとした。そのとき、親指の爪に激痛が走った。片足で跳ねながら信号を渡り終え、靴を脱ぐと、爪が割れて靴下が真っ赤になっていた。靴の中には何もなかった。

869

ＰＣ机で作業していると、背後で自転車のブレーキが軋(きし)むような音がした。振り返っても何もいない。翌日も背後で同じ音がした。音は次第に接近し、ついにはすぐ背後で音が響いた。だが音は翌日、ＰＣ机を通り過ぎ、側の壁際に移った。それ以来音は聞こえなくなった。

870

湯船に入っていると、タン、カラ、タン、カラと、脱衣所の引き戸の開閉を繰り返す音がする。子供の悪戯かと気にしなかったが、暫くして湯から上がるときに、そういえば家人は皆買い物に出ていると気付いた。細君に電話すると、その時間には家を出ていたとの答えだった。

871

友人がまだ学生の頃、自室で親友と徹夜で話をしていた。夜明け頃になって、部屋におかしなものが立っているのに気付いた。半透明、いや、輪郭だけの人型だった。一緒にいた親友もそれに気付き、会話が途切れた。暫くして部屋に朝日が射し込み、その姿は消えたという。

872

ある朝、急に咳き込んで黒い痰が出た。驚いたが、別段体調も悪くないし仕事も忙しい時期だったので、病院に行かなかった。夜、帰ったときに、急にまた喘息のような咳が連続して出た。そのとき、誰かに背中を優しく叩かれた。直後、イカスミのような黒い痰が大量に出た。

873

友人夫婦は、一室にシングルベッド二つを置いて寝ている。旦那さんが出張で、奥さん一人の夜のこと。部屋を真っ暗にして寝ていると、旦那さんのベッド上で、碁石を打ち合わせるようなカチンカチンという音がする。何だろうと一度電気を点けて確認したが、何もなかったという。

874

アパートで一人暮らしをしていた頃の話。風邪を引いたのか花粉症か、鼻がむずむずする。暫くして部屋に響くような大きなくしゃみをすると、部屋の何処からか「くしゃみ」と冷静な男の声がした。再びくしゃみをすると、また「くしゃみ」と言われた。三度目はなかった。

875

深夜受験勉強をしていると、リビングの玄関側のドアの窓に、紫色の人のようなものが映った。家族は既に皆寝ている。急いで確かめに行っても誰もいない。変だなと思いながらリビングに戻ると、今度はソファの上に紫色をした異常に細い人が仁王立ちしていた。

876

数年前から家で小さな男の子を目撃する。だが家族には見えず、彼に見えるのも、決まって体調の悪いときだ。階段の下の狭い一角に現れて、静かな微笑みを浮かべながら、じっと見つめてくる。水色の和装でイガグリ頭、何年経っても歳を取らない。不思議ではあるが怖くはない。

877

知人は、自宅で娘さんに「パパ、こわいこわいいる」と言われたという。大人には見えていないが、二歳児の目には怖いものが映っているようだった。「こわいこわいにバイバイして」と言うと、虚空に向かって手を振る。「行っちゃった？」と訊くと、何度も首を左右に振った。

878

マンションの廊下から女性の悲鳴が聞こえた。続いて、何か重いものを引き摺る音がする。事件かと急いで廊下に飛び出すと、井戸端会議をしている人がいるだけだった。ただ廊下に濡れたものを引き摺ったような跡が残っていた。それは悲鳴から何年も経った今も残っている。

879

引っ越した先のユニットバスには赤い人が出る。週に何度かの率だが、用を足しにドアを開けると湯船の中にいる。最近はシャワーカーテンを買ってきて、風呂とトイレとを隔てている。全身皮を剥いだような赤い身体は、今も湯船の真ん中で膝を抱えるようにして座っている。

880

夜、ふと起きると部屋が随分と眩しい。部屋に見知らぬ女が立っているが、その後ろに光源があり、顔は分からない。寝ぼけているのかと布団を被って寝る。そんなことが数日続いた。後日、泊まりに来た友人が「夜中に変なもの見た」と、その女のことを話しだした。

881

十三階建てのマンションの最上階に住む知り合いの話。ある日玄関に行くと、ドアの自分の胸ほどの高さのところに、白髪の束がはみ出していた。明らかに誰かの髪の毛だが、覗き穴から見ても誰もいない。勇気を出してドアを開けようと近づいたとき、室外にずるりと抜けていった。

882

部屋の柱に男の顔みたいなものが浮き上がっていた。気持ち悪いなと思いながら過ごしていたが、別段何もおかしなことも起きないので、そのまま放っておいた。転勤でその部屋を出るときに、引っ越しの荷物を詰めていると違和感を覚えた。いつもあった柱の顔が消えていた。

883

知人は中学生のときに、今住んでいる家に引っ越した。新築の家に住み始めると、二階に誰もいないときには階段を下りてくる足音がし、一階に誰もいないときは階段を上ってくる音がする。「いつものことなので家族は誰も気にしないけど、私の家には誰かいます」と彼女は繰り返した。

884

家で寛いでいると、突然ガラスのコップが砕ける音がした。台所かと慌てて確認しに行ったが、異状はない。そうしているうちに、今度は居間からガラスの砕ける音がした。だがやはり異状がない。続いて寝室でも音がした。多分異状はないのだが、怖くなったので家を出た。

885

不動産屋の知人は、マンションのオープンルームを担当することがある。その日は雨の日の客待ち中に、担当する部屋に水音が響いた。水道は元栓を切っている。水回りに異常はない。だがその水音は次第に近づいてきた。その日以来、雨の日には、すぐ背後に小さく水音が聞こえる。

886

友人の住むマンションは、二階までは外廊下があり、三階から上は、日照権の関係で、部屋数が少なく、外廊下がない。彼の部屋は六階だが、深夜、エレベータからコツコツと外廊下を通って、部屋の前を通り過ぎ、ないはずの部屋の前で立ち止まって鍵を開ける一連の音が聞こえる。

887

自宅で寛いでいると、「お前それどうしたの？」と旦那さんに声を掛けられた。腕を取り、ノースリーブの肩を覗く。自分でも確認すると、アルファベットのLの形をした小さな切り傷が沢山付いていた。そのほとんどは既に血が乾いていた。言われるまで痛みには気付かなかった。

888

葬式に出て家に帰ったとき、うっかり塩を撒くのを忘れた。風呂で熱いシャワーを浴び、バスタオルで身体を拭いた。何か生臭いので、何だろうと見てみると、イカスミのような真っ黒い液体が筋になって付いていた。慌ててもう一度シャワーを浴び、バスタオルはすぐ捨てた。

889

知人がパリで暮らしていたときの話。アパートの螺旋階段に黒い影がいて、毎日一段ずつ階段を上ってきた。三カ月ほど経ち、自分の部屋に近づいてきた。怖さもあって二週間のバカンスに出かけた。帰ってきたらもっと上の階に移動しているはずなのに、影は跡形もなく消えていた。

890

母親が帰宅する前に夕飯を作っていると、キッチンのドアの陰から誰かが覗いていた。ドアまで行って確認するといなくなるが、戻って料理を再開すると、じっと見てくる。何か言っているので耳を傾けると、「足りない足りない」と繰り返していた。何が足りないかは分からない。

891

帰宅すると部屋が暖かい。朝、暖房を切り忘れたかとも思ったが、暖房は切れている。頭を捻りながら、もう寝ようと寝室に行くと、暗い部屋に人の気配がする。恐る恐る電気を点けると、自分の顔をした他人がベッドに寝ていた。それはすぐに消えたが、暫くベッドは温かった。

892

買い物から帰ると、風呂から上がったばかりのような水浸しの足跡が、玄関に一つ残されていた。大きさから自分の足のサイズだ。奥さんに「何これ」と言うと、「あなたの足跡じゃないの?」と言われた。買い物前に風呂にも入っていなかったので、二人して首を傾げた。

893

寝る前に電気を消し、ベッドに入って携帯電話でゲームをしていた。彼女のベッドは組み立て式のロフトベッドで、大人の背ぐらいの高さがある。真っ暗な中、ふと気配を感じてベッドサイドを見ると、緑色に鈍く光る女の顔が、闇の中でこちらを見ながら浮いていた。

894

ある夜、寝ていると、打ち付けるようなばちばちという音がした。朝起きると窓ガラスに大小様々な手形が付いていた。気持ち悪いなと思いながらガラスを拭いたが、表から拭いても裏から拭いても取れない。ガラスの内側に手形が挟み込まれていた。結局ガラスは全部交換した。

895

受験生時代の話。深夜、三階の自室で勉強中に、ベランダに何かが立つ気配がした。カーテンを開ける勇気はなく、気にはなったがそのまま寝てしまった。夜中、何度か窓を叩く音で目が覚めた。翌朝見てみると、ベランダの窓を、裸足の足跡が下から上に向かって横切っていた。

896

一人暮らしを始めても、起きたときには「おはよう」と言う習慣があった。ある日「おはよう」と言うと「おはよう」と返ってきた。最初は空耳だと思ったが、毎朝聞こえる。ある朝「おはよう」と言うと、いつもの「おはよう」の声と共に天井から、血だらけの顔が逆さまに降ってきた。

897

ある夜、ベッドで布団から足をはみ出して寝ていると、朝になって足の親指に小さな小さな手形が幾つも付けられていた。それは風呂で洗っても擦っても落ちず、次第に赤く痛痒くなった。傷薬を塗っても良くならなかったが、酒と塩で清めたら少しずつ良くなっていった。

898

学生時代に住んでいたアパートは、鍵がいつの間にか開く部屋だった。ドアにも窓も、それこそ学習机の引き出しも、鍵という鍵が、いつの間にか開いている。遊びに来た友人が四桁の自転車のチェーンロックを持ち込んで実験したが、人目がなくなると、すぐに鍵が開いてしまった。

899

住んでいるアパートの部屋では、毎日ではないが、深夜になると、壁際で、ぽっぽっと赤く弱い光が灯る。それと同時に仄かに線香の香りがする。しかし、それはどうやら自分が入居する前から続いているようで、特に害もない。相談したら大家は知らなかった。

900

怪談本を読むのが好きな知人は、金曜日の夜中に買ってきた怪談を読んでいた。すると机を小さくトントンと叩く音が始まった。気持ち悪いなと思いつつ読み続けていたら、急に足の先を引っぱられた。手で握られたのではなく、全体が冷たいものに包まれた感じだったという。

901

風呂場で身体を洗っていると、磨りガラスのドアに、小さな掌が押し付けられていた。子供の手だ。だが、独身の一人暮らしで子供もいないのに、何故そんなものがドアに張り付いているのか理解できなかった。ドアを開けてみた。そこには黒い煙の塊があって、焦げた臭いがしていた。

902

暫く前から友達や知り合いに、「瞼の上に仏像が浮いて見える」と言われる。ただし近くからでは見えないらしい。少し離れて見ると、左右の瞼の上に浮き出て見えるという。自分で鏡を見てもよく分からないが、少し離れて見ると確かに瞼の上に座った人の形が浮いている。

高校生のとき、仲間と夜の廃屋に行った。誰もいないことも確認して廃屋に入り、暫く進むと、周囲で囁くように相談する声が聞こえた。耳をそばだてると、一時的に静かになる。震えながら進むうちに「このまま帰していいものか」と言う声が聞こえたので、慌てて逃げ帰ったという。

書斎で仕事をしていると、背後に誰かいるような息づかいが始まった。それは座っている位置より低いところから聞こえる。暫くは静かな音だったが、だんだん鼻が詰まったような音になり、最後に思い切りすすり上げる音がした。振り返っても誰もいなかった。

知人のマンションは、一度チャイムが鳴るとマンションの玄関、二度チャイムが鳴ると自宅のドアの前に訪問者がいるという仕組みになっている。ある夜遅く、二度チャイムが鳴った。こんな時間に誰だろうと、ドアの覗き穴から外を見てみると、そこには真っ黒な犬の顔があった。

団地の最上階の部屋での話。深夜に不意に目が覚めた。ベランダで何かが鳴いている。猫かとも思ったが、ここは最上階だし季節も合わない。鳴き声が次第に大きくなるので、思い切ってカーテンを開けて後悔した。ベランダの床に真っ赤な目をした赤ん坊がぎっしり座っていた。

907

帰宅すると、娘が妻に抱っこされて不安そうな顔をしている。妻が「さっきから、娘ちゃんね、パパのママ来てるって繰り返してるよ」と言った。妻にしがみついている娘に、「パパのママ来てるの?」と確認すると、小さく頷いた。「こわいの?」と訊くと、首を横に振った。

908

赤ん坊が寝ているベッドからスプリングの軋む音が聞こえた。赤ん坊のいる反対側の面が上下に動いている。小さな子供がベッドの上で跳ねているようだ。家には二人の子供がいるが、もう一人は母親と別室で話す声が聞こえる。上下するベッドで赤ん坊は上機嫌で笑っていた。

909

仕事机の右手には本棚があり、ぎっしりと本が詰まっている。だが、時折そちらから見られている気配がする。視線だけではない。息づかいが聞こえるときもある。そんなときは、本を取るのを避けていた。だが急ぎの仕事のとき、気配を無視して本を取った。本が妙に温かかった。

910

知人が購入した中古マンションの和室は、時々畳が「コンコンコン」と鳴った。気になるので畳屋を呼んで訊いても理由が分からない。それならと畳を全部取り替えた。だが、暫くすると新しい畳の方から同じ音が始まった。思いついて一度粗塩を揉み込んだら音はしなくなった。

911

深夜、自室で読書をしていたが、急に背後が気になって振り返った。何もいない。ほっとして、また続きを読むが、やはり背後が気になる。もう一度振り返っても何もいなかった。当然だよねと思い、もう一度確認のために振り返ると、真っ黒な顔をした影がすぐ真後ろにいた。

912

別荘でゲームをして遊んでいると、エアコンの吹き出し口に、何か白いピンポン球大のものが見えた。「何だあれ」と指差すと、皆「何だ何だ」と立ち上がり、じっと見上げた。白い光の塊だった。一人が手を伸ばすと、ふわりと天井の方まで上がり、暫くすると消えてしまった。

913

マンションの六階での話。窓を開け放ったまま買い物に行って戻ると、風で入ったのか、緑の風船が居間の天井で揺れていた。じき降りてくるだろうと放っておいた。夜、閉め切った寝室で本を読んでいると、居間にあるはずの風船が天井で揺れていた。ただ風船は朝には消えていた。

914

もう寝ようとPCの電源を落とした。液晶画面が真っ暗になったとき、画面に映っている自分の顔の下に、更に知らない若い男の顔があった。自分がその男を抱えるようにして座っているのを見た瞬間に、「嫌だ」と感じ、急いでその場を離れた。今も怖くてそのPCを起動できない。

915

娘が四歳位のときの話。彼女が夜中にやっと一人でトイレに行けるようになったある夜、トイレに行った娘が戻ってきて、「ねぇママ、最近おトイレのおばちゃんいなくなったね」と言った。聞けば以前からトイレには中年女性がいたというが、家は新築で、心当たりもまるでない。

916

高校生のときに住んでいたマンションは、不思議なことが度々起きた。試験前日に夜中まで起きて勉強していると、力を掛けていないのに、座面がゆっくりと回転していく。落ち着かなかったが、勉強しつつ無視していた。次は椅子ががっくんがっくんとロデオのように揺れ始めた。

917

知人のマンションでの話。彼女は夜中に仕事しており、明け方にゴミを出すことがある。ある夜、ゴミを出しに行くと、非常階段に人影があるのに気付いた。こんな夜中に誰だろうと思って覗いてみると、フードを被った黒い影が非常階段に列をなして座り込んでいた。

918

夜中、こたつでレポートを書いていると、背中を「とん」と叩かれた。驚いて周りを見回したが誰もいない。気のせいかと再びレポートに向かったが、暫くすると、背中に大きな掌が、ぎゅっと押し付けられた。凄い力で、そのままこたつに突っ伏して朝まで過ごした。

919

ある日、書斎に引きこもって実話怪談を書いていると、三歳半の娘が書斎に来て、天井を指差した。「ほら、ピンクのお花一杯あるよ！　お花一杯ある！」と声を上げ、ニコニコと笑った。見上げたが、そこには、ほの暗い白い天井があるばかりだった。娘はまだ時々何かを見ている。

920

ポスティングをしている知人が避けているアパートがある。以前彼が寄ったとき、集合郵便受けにチラシを入れ終わって次に行こうとすると、背後から視線を感じた。何だろうと振り返ったそのとき、郵便受けに挟まっていたチラシが一斉に内側へ引き込まれた。

921

古いアパートに住む友人は、ベランダもない二階の部屋で、時々窓から覗かれるという。多くは窓の外を肌色の頭部がすっすっと左右に通り、変だなと思うと細く空けた隙間からじっと見られている。気持ちが悪いので窓を閉めておくのだが、窓はいつの間にか細く開いている。

922

失踪した友人からの最後の留守電。「廊下に変な爺さんがいて、今何故かうちのドアの前にいるのよ。鍵掛けたと思うんだけど。気持ち悪いんでお前んと……おいこらジジイ！　こっち来んな！」そして彼自身の「皆さんさようなら。中村くんさようなら」という発言で終わっていた。

923

湯を注ぎつつ湯船に入っていると、何か重いものが湯に落ちる音がした。見回しても何もなく、変だなと思いつつ湯船から出て頭を洗う。すると今度は強く水を打つ音がする。泡を流しつつ頭を上げて目をやると、湯船に透明の塊がくねっていた。すぐ湯を抜いて風呂から出た。

924

夜、寝ているとベッドの下から金属をヤスリがけするような音が聞こえてきた。明かりを点けてベッドの下を覗いても何もない。だが翌朝明るい中で調べると、金属の粉がベッドの下に散っていた。更にベッドの脚にも傷が入っていた。だがそれ一回だけで、以後、音はしていない。

925

知り合いのアパートに「出る」と聞いて、三人の男が泊まりに行った。酒を飲みながら話をしつつ夜半を迎えた。不意に蛍光灯がちらちらと瞬き、キーンという高周波が聞こえた。「来たな」と誰ともなく言った直後、三人とも頭に衝撃を受けて昏倒した。朝まで目が覚めなかった。

926

深夜暗い中を手探りでトイレまで歩いていくと、廊下の途中で頭を強打した。こんな所に何があるんだと手を伸ばすと、厚さ三センチはある分厚い木の板が立っていた。廊下はそれで半分に仕切られている。仕方なく避けてトイレに行ったが、帰りにはもうなくなっていた。

927

デートの後で家に帰ると、先ほどまで一緒だった彼氏の体臭がする。気のせいかと思ったが、妙に生々しい。だが姿はない。電話を掛けてみたが、寝ているのか電話に出ない。翌朝掛かってきた電話でその話をすると、「何か昨晩、お前の家に行った夢見たわ」と言われた。

928

大学生の頃の友人の話。風呂から出ようというときに、先ほど身体を洗うときに座っていた、洗い場の腰掛けの下に、笑顔の女の顔がすっぽり嵌まっているのに気がついた。「これは見間違いだ」と何度も自分に言い聞かせて風呂を出たが、それから暫く銭湯通いをしたという。

929

夜、喉が渇いたので水を飲もうと蛇口を捻ったが水が出ない。今晩断水だっけと思い、別の蛇口も捻ってみたが、やはり出ない。元栓を誰かが悪戯したのか？　と確認しようとしたそのとき、カーンと金属音が鳴ると同時に、先ほど開けた全ての蛇口から勢いよく水が流れ始めた。

930

田舎の叔母の家にある古い井戸の話。もう枯れて何十年も使われておらず、覗いても底は見えない。どれだけ深いのかと、小石を落としてみたが音がしない。更に大きな石を落としても無音だ。もっと大きな石を投げ入れると、今投げ入れた三個の石が井戸から飛んできて額が切れた。

931

アパートで一息吐いていると、窓が繰り返し激しく叩かれた。何事かとそちらを向くと、ざんばら髪をしたまだ若い女性が、無表情のまま激しく顔全体を窓に打ち付けている。恐怖で部屋を飛び出し、友人宅で一晩宿を借り、翌朝帰宅したが、窓には何の跡もなかった。

932

単身赴任中の知人宅の風呂のドアの窓は、半透明で凹凸のあるアクリル製だ。ある夜、彼が入浴中に、その凹凸を引っ掻く音がした。驚いてそちらを見ると、確かに指の影が引っ掻いているのが見える。激しく引っ掻く音が響き、怖くて風呂から出られなかったという。

933

最近の悩みは一人暮らしの部屋のガラス戸が毎日少しずつ開いていくことだ。確実に閉めたはずなのに、朝には開いている。鍵を掛けても開いている。いっそのこと全開にしてみたらどうなるのかと、窓を開いて仕事に出た。仕事から帰ってくると、鍵まできっちりと掛けられていた。

934

夜中に喉の渇きを覚えてキッチンへ水を飲みに行った。ふと居間を見ると、巨大な黒い立方体が浮いている。不思議に思ったが、別段ただ浮いているだけなので、そのまま寝室に戻った。翌朝、奥さんが「ねえ、昨日居間に真っ黒な変なの浮いていなかった？」と訊ねてきた。

935

昼間寝ていると、寝室の何処からか、木琴を叩くような、泡が割れるような高い音で、ぽぴん、ぴと、ぱらん、と音がする。最初は何の音か分からなかったが、最近では水の上に水滴が落ちる音ということに気付いた。だが寝室に水気はなく、何度も探っても音の出所が不明だ。

936

知人が後輩の彼女に手を出した。彼女は「やっぱり先輩、随分溜めてましたね」と笑った後で、「全部持っていきますから」と言い残して連絡が取れなくなった。それ以来知人は一切女性に相手にされなくなった。「せっかく溜めたのに全部取られたわ」と愚痴っているという。

937

知り合いのアパートの風呂場は、六畳一間に不似合いな程広い。風呂好きなのでそこが気に入って契約した。だが、暫くすると、湯船に湯を張っていないと、夜中に女の泣き声がすることに気付いた。気持ちが悪いが、留守にするとき以外、湯は張りっぱなしなので問題ないという。

938

深夜にシャワーを浴びていると、蓋のされた浴槽から、変な音が聞こえる。プラスチックの表面を爪で引っ掻くような小さな音だ。最初は気のせいかと思ったが、耳を澄ますとやはり聞こえる。勇気を出して浴槽の蓋を捲ってみると、中は冷たい水が縁まで張られていた。

939

マンションの上階で、球状の金属か石を落としたような硬質の音がした。続いてそれが床を転がる音が響いた。上階を気にしていると、背後で急にタンッと重いものが落ちた音がした。びくっとして振り返ると、重い球状のものが転がる音が続いたが、幾ら見てもその姿はなかった。

940

夜中にゴミ出しに行くと、必ずお爺さんがゴミ捨て場の横にいて、じっとこちらを見てくる。いつも不思議に思いながらゴミを捨てていたが、ある夜、マンションの同じ階の人とゴミ捨て場で鉢合わせた際に「いつもあのお爺さんいますよね」と話しかけたが、全く話が通じなかった。

941

深夜勉強中に、廊下からドアをノックする音が何度も響いた。ドアを開けても誰もいない。翌朝両親に言っても気のせいと笑われた。だが何年も経って弟から、「昔、ノックされたって言っていたときには言い出せなかったけど、部屋の前に知らない女の人が立ってた」と告白された。

942

アパートの隣の部屋が空いたが、人の気配が続いた。声はしないが部屋の中で足音がする。ある朝、その部屋を挟んだ向こうの部屋の住人とその話になり、やはり物音が聞こえるとのことで、大家立ち会いで検証することになった。部屋には電源の切れた古い携帯電話が一台落ちていた。

943

ある研究所の三階の窓に掛かるブラインド越しに人影が見えた。窓拭きでもしているのかと思ったが、微動だにしない。不思議に思ってブラインドに近寄ってみた。そのとき急に嫌な予感が走ったが、勇気を出してブラインドを開いた。人影に見えたところには無数の目玉があった。

944

友人の家に遊びに行ったときの話。ベランダに男性が立っている。家族の誰かなのかと思って、友人に「外の人入れてあげれば」と言うと怪訝な顔をする。別にいいのだろうかと思ったが、やはり気になるので友人のお母さんに同じことを繰り返したところ、再度怪訝な顔をされた。

945

先月聞いた話。最近寝ていると、アパートの部屋の砂壁を引っ掻くような音がする。最初は鼠か何かかと思ったが、どうもそうではないらしい。その後、仕事で一週間程留守にしてから戻ると、壁に彫刻刀で彫ったような傷で、正円が描かれていた。今は音はしない。

946

夜、目覚めると、箪笥の上にマネキンのような生首が二つ載っていた。そこで意識が飛んだ。次に目覚めると、ベッドの横に、丸い頭の上半分だけが二つ並んでいた。先ほどのあれだと思った。またすぐに意識が遠ざかった。次に目覚めたら枕に頭三つ並べて寝ていた。

947

日付が変わる頃に、今日も竿竹屋の声がした。文句の一つも言ってやろうと外に出た。すると、先ほどまで、大声でがなっていた竿竹屋は何処にもいなかった。竿竹屋が毎晩来るので悩んだ末、井戸端会議で近隣の人に話題を振ってみた。だが竿竹屋のことは誰も知らなかった。

948

部屋に帰ると彼氏の気配がした。声を掛けると、彼氏の声でベッドルームから「こっちこっち」と声がする。そちらに行くと、居間からまた「こっちこっち」と声がする。何度か繰り返した後で、「あんた違うでしょ」と強い口調で言うと「ばれたか」と声を残して気配は消えた。

949

お盆休みに家族が帰省している間、仕事を抱えて自宅で一人過ごしていた。夜遅くまで仕事をしていると、どうも自分の真上の部屋でみしりみしりと音がする。皆出払っているのに二階の部屋に人がいるはずもなく、恐る恐る見に行くと、白い人のようなものが浮かんでいた。

950

風呂で頭を洗っていると、足首の辺りに痛みを感じた。傷でもあるのかと手をやると、指先に引っかかるものがある。自分のすね毛だ。だが何者かに引っぱられている感覚がある。慌ててシャワーを浴びて視線を向けると、洗い場の床から生えた手が、すね毛を摘まんでいた。

951

高校生の頃、寝ていると金縛りにあった。白い着物に白い髭の老人が、腹の上で正座して、顔を見つめてくる。声を出そうとしても出ない。「どけ、どけ」と何度も念じたが、老人は動く気配も見せず、無表情で見つめてくる。そのにらめっこは、朝、親が起こしにくるまで続いた。

952

知人のマンションの一室は、いつも雨のような音がしているという。別段水道管の音が響いている訳でもなく、ざーっという雨音やぽつぽついう雨音が響いている。最初はその部屋に入ると窓を開けて外を見て確認していたが、最近だとそんなもんかと思って無視することにしている。

953

新品の靴を履いて街に出た。親指の辺りがぬるっとした。汗のせいかとも思ったが、次は足裏を何か柔らかくて濡れたものがなぞった。気持ちが悪いので靴と靴下を脱いでみたが、おかしな所はない。もう一度靴に足を入れると今度は痛みが走った。足の中指に歯型が残っていた。

954

アパートの外の廊下を、背の高い影が右往左往しているのが磨りガラス越しに見えた。誰か来たのかなとドアを開けると、青い顔の友人がいた。「何行ったり来たりしてるのよ」というと、「今、磨りガラス越しに、部屋の中で背の高い影が動いているのが見えて不思議に思って」と言った。

955

自宅で寛いでいると、普段家族の誰も付けないような種類の香水の香りがした。何だろう。クリーニング屋の洗剤の香りかしらと思い、部屋の隅にある衣類を確かめてみたが、匂いが違う。気になって部屋中嗅ぎ回ったが、何処からもその香水の香りはしなかった。

956

大学時代に六畳一間のアパートに住んでいた頃の話。時々夜中にドンドンと叩く音がする。寝ぼけながら何だろうと不思議に思っていたが、ある夜徹夜でレポートを書いてるときにその音がして飛び上がった。押し入れが内側から叩かれていた。だが害もないのですぐ慣れてしまった。

957

風呂の蓋を閉めて半身浴をしていると、足の甲を髪の毛が撫でるような感触がした。気のせいかなと考えていたが、蓋を取ってみると、六十センチはある長い髪が束になって、湯船の壁面にべったりと張り付いていた。その下端は湯に浸かっており、水草のようにゆらゆら揺れていた。

958

夜中に一人でヘッドフォンを着けてPC作業をしていた。すると右後方のフローリングに「とん」という振動と、人が立つ気配がした。怖いので「気のせい」とそちらを確認せずに作業を続けた。それからヘッドフォンで聴いている曲に「いいね」という女の子の声が何度も被った。

959

友人の家では、時々小さな音量で歌声が聞こえてくる。携帯や音楽プレイヤーが鳴っているのかと探してみたが、それらしい音源がない。壁を伝わっているのでも、天井でも床でもない。方々探し回った結果、鏡台が怪しいのだが、音源は分からない。まだ時々聞こえるという。

960

夜、玄関に置いた鞄の中に携帯を忘れていたことに気付いて取りに行った。鞄を持ち上げようとすると、何処からか聞き取れないほど早口な男の声が聞こえる。何だろうと耳を澄ましていると、鍵が掛かっているはずの玄関のドアが音も立てずに開き、禿頭の男が顔を覗かせた。

961

友人の家には変な物が来るという。「いれて」と声が掛けられるのだが、ガラスの扉を覗いても誰もいない。「いれてって声を聞いても開けないでね。入ってきたら出ていくまで大変だから」と言う。彼女は玄関は使っておらず、扉にも「裏に回ってください」と張り紙をしている。

962

寝ていると、枕元に座った女から無言で覗き込まれる。身体は動かない。暫くすると頭の中に「まだ逢えませんね」と声が響く。そんな夢を年に何度も見ていた。そして十年以上経って、街中でその女がこちらを見つめているのに気付いた。無視しているが、今も時々見かける。

963

ある夜、自室で寝ていると、キッチンの収納からガチャンと崩れる音がした。鍋か何かが崩れたのかと、寝ぼけ眼を擦りながらキッチンまで行って電気を点けた。すると大きな真っ黒な影がしゃがんでいた。息を呑んで固まっていると、影はそのまま床に沈み込むようにして消えた。

964

彼女は急いでいるときに限って、玄関でコンセントから伸びるコードに足を引っかけてしまう。「嫌になっちゃう」と旦那さんに愚痴ると、「そんなコードないよ？」と返された。そんな馬鹿なと確認してみると旦那さんの言う通りだ。だが今でも急いでいるときにはよく引っかける。

965

夜中にトイレに起きると、壁に映る自分の影の頭に、二本の角が生えていた。不思議に思って両手を頭に持っていくが、何もない。振り返っても、自分の影に重なるものもない。しかし身体を揺らしても移動しても壁に映る影には角が生えたままだ。諦めて首を傾げながら布団に戻った。

966

腰掛けに短期間暮らしていた賃貸アパートでの話。固定電話を引いていたが、時々無言電話が掛かってくる。最初は無言だったが、何度も掛かってくるうちに、受話器の向こう側からスコップで土を掘る音が聞こえ始めた。電話機を電話線から外しておいたが、それでも掛かってきた。

967

友人宅で出されたお茶を飲もうとすると、湯呑みの底に少し溜まっているだけだった。自分のペットボトルを机の上に置くと、今度は目の前でその水位がどんどん下がっていく。気付いた友人は、「ごめんね、たまにそういうことがあるの」と、仏壇に水を上げ直しに席を立った。

968

深夜、誰からか分からない電話が掛かってくる。取ると受話器の向こうでは、こちらの声を無視して何かを小声で呟いている。毎晩なので夜は電話線を抜くことにしたが、電話はそれでも鳴る。仕方なく何を言っているのかと耳を澄ますと、「鬼が来るから逃げろ」という警告だった。

969

ある夜から、横になると部屋の隅に白い服を着た恰幅(かっぷく)のいい老人が立つようになった。目は自分を無視して前方を見据え、腕には白い杖を抱えている。頭は丸坊主で、両手の指先をずっとクシャクシャと弄っている。心当たりがないので無視し続けていると、一週間で出なくなった。

970

夜、受験勉強をしていると、部屋のドアノブがガチャガチャ鳴った。音を立てるドアノブを見ていると、部屋の空気が次第に重くなり、何処からともなく鈴の音が聞こえてきた。目を瞑って我慢していると、鈴の音も去り、ドアノブの音も止まった。時計を見ると三時間経っていた。

971

夜中目覚めると、布団の周囲を上半身だけの黒い影にぐるりと取り囲まれていた。立ち上がろうとすると金縛りになった。影どもは両手を頭上でゆらゆらと揺らし、続けて布団の端を握って持ち上げた。焦っていると、影はすぐに手を離した。衝撃とともに背中に強い痛みが走った。

972

首の後ろにタトゥーで女性の顔を彫った男がいた。暫くして次第にその表情が変わっていると仲間内で話題になった。男は気にしてその顔を隠すようになったが、次第に体調も悪化し、伏せがちになった。ある日、鏡に映して確認すると、タトゥーの顔は般若に変わっていた。

973

「綺麗な歌声がするから、うちに来ない?」と誘われ、友人宅へと向かった。彼女がここだよ、と指すのは押し入れだった。確かに襖に耳を付けると、民謡のような歌声が聞こえてくる。だが、決して彼女が言うように綺麗な声ではなく、ダミ声のお婆さんが歌っているようだった。

974

深夜になるとマンションの上の部屋で、パーティをする音が聞こえる。最初は大学生が試験も終わってはしゃいでいるんだろうと好意的に取っていたが、流石に連夜だと腹が立ってきた。管理人に注意してくれと伝えると、上階の部屋にはもう半年以上、人が住んでいないと言われた。

975

後輩のアパートでは、家鳴りがする。その後輩はネットで怖い話の動画を観るのが趣味なのだが、動画を観ているときに限って音が響く。遊びに行って聞いた限りでは、「ピシッ」という木の裂けるような音ではなく、ボキボキボキッと、人が指の関節を鳴らす音に聞こえた。

976

トイレに入っていると、外で壁を叩く音が響いてきた。次第に近づいてきて、今度は壁でなく、家のドアを叩き始めた。悪戯だろう。しかしトイレからまだ出られない。すると室内の壁、続いてトイレのドアが叩かれた。思い切ってドアを開けたが、そこには何もいなかった。

977

時々、マンションの外廊下では、たんたんとんとんと、小さな子供が床を踏み鳴らして廊下を歩くような音がする。ある夜、仕事帰りにその音と廊下で鉢合わせをした。廊下の端でたんとん音がしていたが、近づいていくと急に音が小さくなって、最後は止んでしまった。

978

目を覚ますと、口の周りが変に痒い。撫でると指先に黒いものが付着する。見ると油脂と細かい髪の毛か髭の粉を練ったもののように見える。慌てて洗面所に行き鏡を覗き込むと、口の周りにそれで黒い手形が描かれていた。部屋には誰も侵入した形跡はなかった。

979

夜中に目が覚めて「今、恩師が亡くなった」と思った。すぐ着替えて座敷に正座していると、日の出前に玄関の呼び鈴が鳴った。外に出ると先生が立っていたが、すぐに見えなくなった。朝八時を回った頃に先生の家族から連絡があった。やはり深夜起きたその時刻に亡くなっていた。

980

大学生のとき、付き合っている彼女が週に何度か遊びに来た。彼女が帰ると電動歯ブラシに必ず電源が入っていた。毎回なので「使ったらスイッチ切れよ」と文句を言ったが、洗面所に立ち寄らなくても、彼女が帰宅すると電源が入る。そのことで何度か口論になり、別れてしまった。

981

書斎の本棚から、ゴソゴソと聞き慣れない音がする。虫が立てるような小さな音ではなく、ゴム風船を擦り合わせるような奇妙で神経に障る音だ。嫌だなと思いながら無視していると、背後で金属塊の落ちるガチャンという音がした。だが周囲を見回しても音源となるものはなかった。

982

友人を家に呼ぶときには、きちんと準備を整えてからと決めている。その日も食事の支度を終えて、友人の来訪を待っていると呼び鈴が鳴った。友人だ。ドアを開けた瞬間、友人が身構える。「あっちの部屋の椅子に、今、変なおじさんが座ってた」との言葉に、背後を振り返った。

983

和室で仕事をしていると、背後でドアが開閉する音が響き、何者かが靴音を立てて通り過ぎた。振り返っても襖は開いておらず、そもそも和室の襖でドアが開く音がする方がおかしい。何だろうと首を傾げていると、またドアが開閉する音がして、今度は鍵を掛ける音まで聞こえた。

984

月に一度ほどの頻度で起きていたこと。隣の書斎に飾ってあったはずのミニカーが、勢いよく居間のフローリングを走り抜けた。動力もないので動くはずもない。他のコレクションと一緒に本棚の上に飾られていたはずの一台だ。一体誰が滑らせてきたのか今でも分からない。

985

昔暮らしていたアパートでは、気付くと金属を擦る音が聞こえた。気にはなったが、特に害もないので放っておいた。だがある夜、寝ているすぐ耳元で金属の擦り合う音がした。ジイイ、シャキン、ジイイ、シャキン。鋏の音だ。これはやばいと部屋を飛び出し、すぐに引っ越した。

986

夜、玄関脇のトイレに行こうと、居間と玄関を隔てる扉を開けた。自動で点灯する玄関の電灯がパッと点くと、玄関に真っ白な服を着た全身ずぶ濡れの女が立っていた。声を上げて反射的に扉を閉じた。次に開くと、女は消えていた。三和土（たたき）は濡れていたが鍵は掛かっていた。

987

仕事で疲れて寝ていると、息苦しさに目が覚めた。見ると天井から逆さまになった髪の長い女が、手を伸ばして首を絞めていた。驚いて反射的に長い髪の毛を力任せに引っぱると、ずるりと天井から落ちてきた。女はくねくねと蛇のような動きでガラス窓をすり抜けて出ていった。

988

友人の部屋には、雨の夜になると女性の霊が訪ねてくるのだという。姿は見えないが、衣擦れの音や微かに聞こえる息づかいから、女性だと分かる。雨の夜になると窓をコンコンと叩き、入れてくれとせがむ。あるとき窓を開けて招き入れて以来、雨の夜には毎度訊ねてくるという。

989

空手を教えている中に、見えすぎて、もはや幽霊と生きている人の区別が付かない生徒がいる。彼が自宅で寛いでいると、壁からマラカスを持った男性の幽霊がにゅうと生えてきた。幽霊はこちらをガン見しながら、シャカシャカとマラカスを控えめに奏でながら壁に戻っていった。

990

こたつに足を入れたまま俯せになって漫画を読んでいた。足を動かすと、誰かの足にぶつかった。あれ？　家族が帰ってきたのかなと、起き上がったが、誰もいない。横になってるのかなと思い、声を掛けてみたが反応がない。こたつ布団を捲ると、見知らぬ足が一本入っていた。

991

夏にスマートフォンで怪談の配信を見ていると、風呂場から物凄い水音が聞こえた。驚いて確認しに行くと、シャワーの水栓が全開になっていた。その家は元々水流が極端に強く、全開にするのはあり得ない。一人暮らしで、その夜も部屋で一人きり。今でも不思議だという。

992

アパートで寝ていると、何かどたばたと足音が聞こえた。寝ぼけながら「なにー？　やめてよー」と言っていたが、部屋に一人だと思い出して急に目が覚めた。だが足音は止まらない。目を開くと、背の高さが天井ほどまである数体の黒い影が、横になった自分を何度も跨いでいった。

993

実家の蔵を建て直すというので、中の荷物を整理している最中のこと。蔵の中にあった桐の箱は、男四人で持ち上げるにも苦労する重さだった。外に持ち出して蓋を開けてみると、中身は空っぽだった。再び持ち上げようとしたら、大人一人で十分持ち上げられる重さになっていた。

994

単身赴任中のマンションでのこと。ある朝起きると、掛けていたはずの毛布が一枚見当たらない。ベッド脇にでも落ちたかと、確認したが見当たらない。出社しようとしてドアを開けて気がついた。玄関ドアの外側のノブにその毛布が引っかけられていた。そんなことが何度も続いた。

995

ある夜、両足の裏を激しい痒みが襲った。水虫にでもなったかと掻きむしっていたが、日付が変わる頃に、急に痒みが取れた。良かったとそのまま放置して数日経った。彼女とデートのときに「何これ！」と驚かれた。両方の足の裏に白く「南無阿弥陀仏」と念仏が浮き出ていた。

996

学生時代のアパートでの話。朝、シャワーを浴びて、バスルームから出ようとした。先ほど着ていたTシャツは脱ぎ捨てられてドアの前に敷いてある。バスマット代わりだ。だがそれを踏もうとして驚いた。Tシャツの真ん中に濡れた足跡が一つ、べったりと付けられていた。

997

日付が変わる頃に自宅の風呂で長湯をしていると、浴室のドアが勢いよく開き、工事作業員風の、頭に白いタオルを巻いた五十絡みの男が地下足袋で浴室に入ってきた。男はきょろきょろと見回すと、無言のまま再度ドアから出ていった。風呂の床に地下足袋の足跡だけが残っていた。

998

夜、寝ようと寝室に行こうとすると、奥さんが「新しいシーツ敷いておいたから」と声を掛けてきた。布団を捲ると、巨大な金魚がシーツに描いてある。「随分派手なの買ったなあ」と声を掛けた。その声を聞いた奥さんが「えー、何？」と、寝室に入ってきた瞬間に、金魚は消えた。

ある朝、寝坊した後輩がマンションの階段を駆け下りていた。エレベータホールにさしかかると、ホールに奥さんが立っている。忘れ物に気付いて、エレベータで先回りしたのかと思って声を掛けると、すっと姿を消した。携帯で確認すると、奥さんは家で洗い物をしていた。

夜中よく金縛りに遭う。あるとき、金縛り中に目を開けてみると、線の細い綺麗な女性が胸の上に乗っていた。これは夢だと思ってそのまま寝た。しかし、翌朝同室で寝ている兄に話を訊いたところ、夜中に女の人が部屋に入ってきて、明け方までうろうろしている夢を見ていたらしい。

※本書に登場する人物名は、様々な事情を考慮してすべて仮名にしてあります。また、作中に登場する体験者の記憶と体験当時の世相を鑑み、極力当時の様相を再現するよう心がけています。現代においては若干耳慣れない言葉・表記が登場する場合がありますが、これらは差別・侮蔑を意図する考えに基づくものではありません。

千粒怪談 雑穢

2022年6月6日　初版第一刷発行

著者……神沼三平太
カバーデザイン……橋元浩明（sowhat.Inc）

発行人……後藤明信
発行所……株式会社　竹書房
〒102-0075　東京都千代田区三番町8-1　三番町東急ビル6F
email: info@takeshobo.co.jp
http://www.takeshobo.co.jp
印刷・製本……中央精版印刷株式会社
